La danza de los abanicos

La danza de los abanicos

Carmen Duarte

BARCELONA-MADRID

©Editorial EGALES, S.L. 2006
Cervantes, 2. 08002 Barcelona. Tel.: 93 412 52 61
Hortaleza, 64. 28004 Madrid. Tel.: 91 522 55 99
www.editorialegales.com

ISBN: 84-88052-14-6
Depósito legal: M-34711-2006

©Fotografía de portada: Stewart Cohen. Getty Images.

Diseño y maquetación: Cristihan González

Diseño gráfico de cubierta: Nieves Guerra

A Jody Schenk, por rescatar mi fe terrenal.

Primera Parte

Los abanicos revolotean por La Habana

I

La idea de huir surgió una noche, cuando sentadas en el muro del malecón les vino el impulso de tirarse al mar para separarse de la tierra por siempre. Andrea y Marta, tomadas de las manos, rumiaban en silencio sus penas con la sinceridad de dos abanicos abiertos. No se decían nada, ni tan siquiera se miraban a los ojos, pero de la fuerza de sus dedos entrelazados brotó la decisión de no regresar jamás. Y allí, frente al mar, sintieron envidia por esas especies de las aguas, incubadas en la fantasía de los antiguos marinos, las que, en su variedad, lo mismo nacían con tres cabezas que cantaban para enloquecer a los hombres y hacer que se tiraran al océano; felices ellas que podían viajar libremente de un lado para otro. Los humanos no, para moverse tienen que llevar pasaporte, visa, dinero, permiso de salida, y todo como consecuencia de un simple pecado: no ser gaviota o jicotea.

La insistencia con que Andrea pasaba, una y otra vez, la yema de su dedo índice por sobre los nudos de la mano de su amiga, logró trasmitirle a Marta toda la angustia que revoloteaba en su interior. Para ella, la Isla era un Gran Teatro, su vida pendía de los éxitos y fracasos de sus obras representadas sobre las tablas; sólo que, para su desgracia, el desarrollo de la carrera que había escogido no dependía tanto de su talento como de la aprobación de las autoridades.

—Así ha sido siempre en las épocas oscuras de la humanidad —le decía Sebastián a Andrea aquella tarde en que, ya muy enfermo, vio por última vez a la joven, que por entonces era, sin duda, su mejor alumna.

—Yo que he vivido un sinfín de años haciendo teatro, siempre tengo que remitirme a la historia para entender mejor el presente. No sabes cuánto me acuerdo de Molière, quien en medio de la corte de Luis XIV, tratando de estrenar su obra *Tartufo*, tuvo que ser muy sabio para quitarse de encima la censura de la Iglesia. Era la época del despotismo ilustrado. Se podía, con cautela, jugar hasta con la cadena, pero no con el mono.

Sin embargo, aquella última tarde que Andrea compartió con su profesor, ella tenía el impulso de rebelarse contra el pesimismo de su maestro. Sólo dos días atrás había sido llamada a un reunión masiva en el Ministerio de Cultura, donde habían hablado de renovar el sistema teatral: todo teatrista que quisiera podía presentar un proyecto que, luego de ser aprobado, sería financiado por el Ministerio.

—Al fin llegó una oportunidad para la gente más joven, podemos trabajar nuestras propias obras sin depender de los directores oficiales. Llegó la Perestroika... no van a poder tener tanta vigilancia, si es que van a admitir tantos proyectos —le dijo Andrea a Sebastián.

—Siempre que abren, después cierran. Estos no son más que vientos alisios —contestó el maestro desde su lecho de muerte.

La joven hubiese querido discutirle al profesor que esta vez no tenía por qué ser igual a las otras. Todo estaba cambiando en Europa del Este. Pero, por respeto al moribundo, bajó los ojos y calló.

El maestro no vivió la caída del Muro de Berlín, Andrea sí. Ella siguió con emoción la noticia, paso a paso; se trataba, sin duda, de un acontecimiento que nunca nadie nacido dentro de aquella isla caribeña ni tan siquiera imaginó. Jamás se olvidaría de aquel locutor de televisión, leyendo el cable noticioso, con el rostro disgustado y el bigote enorme pasado de moda. Se le veía tieso y serio, como todos los conductores de noticias de un país en el que la política se toma demasiado a pecho. Detrás pasaban las imágenes de los europeos derribando el Muro de Berlín ansiosamente, en contraste con la mediocridad de aquel locutor que dejaba traslucir su desaprobación en cada movimiento de sus labios.

Pero Andrea no supo interpretar bien el código de la televisión de su país, o más bien, en su ingenuidad, no se dio cuenta de que cada gesto del hombre estaba programado para que fuese así y no de otra manera. No obstante, desde la sala de su casa, pudo oír en el radio vecino, a toda voz, la canción *Ya viene llegando*, de Willy Chirino. Fue entonces que Andrea tuvo la certeza de que se avecinaban tiempos complejos y confusos.

—Los ladrillos del muro nos cayeron en la cabeza a nosotros —le decía Andrea a sus actores, meses más tarde, cuando comenzaron a sentir el peso del atrincheramiento impuesto por los medios oficiales que, lejos de abrirse a la nueva situación mundial, encabezando una transformación a lo Europa del Este, optaron por la resistencia.

—Ahora te meten preso por hablar bien de la U..., de Rusia. Quién lo hubiese dicho —comentaba la joven a su grupo de teatro.

—Nosotros somos los que estamos locos, haciendo teatro en puro Período Especial. Ya se nos acabó el cartucho de azúcar... ahorita se empieza a desmayar la gente con tanto ejercicio. Y para colmo, ayer se me rompió la bicicleta, no es fácil caminar todos los días seis kilómetros bajo el sol... —le contestó la directora artística.

Mientras, el resto de los actores protestaban porque se tenían que coser ellos mismos el vestuario de la próxima obra; y lo que era peor, la tela que sacaron de un pedazo del telón de fondo, cortado con muchísimo cuidado para no dejar el escenario tan desmantelado, estaba tan llena de polvo que no sabían de dónde sacar tanto jabón para lavarla. Sin embargo, durante los ensayos, el humor del grupo mejoraba y podían estar horas y horas trabajando ese lenguaje pícaro y ambiguo, ganador de la complicidad de un público que, al igual que ellos, estaba loco por gritar sus frustraciones y críticas.

El día no tardó en llegar. Aquella mañana, Andrea se acordó de su maestro Sebastián más que de costumbre. Llegó a pie al teatro, y bañada en sudor; el grupo se preparaba para un ensayo general del próximo estreno. Lo único estresante era que venía al ensayo La Comisión de Cultura, encabezada por un funcionario cuya misión consistía en prohibir obras, mutilar textos, eliminar escenas... Increíble, porque este hombre anteriormente había sido un artista censurado. Pero la gente del grupo estaba tranquila, confiaba en que Andrea defendería su texto a capa y espada.

Ella no era actriz, pero en esta ocasión y porque no tenían los suficientes actores, decidió hacer un pequeño personaje secundario, una anciana medio loca que decía de vez en cuando algunas verdades. Así que después de saludar a sus compañeros y comprobar que el estado de ánimo en general, estaba bien, Andrea se fue al camerino para vestirse y maquillarse con lo que hubiese.

Tranquila, abrió la lata de desodorante de pasta con el que sustituían la base blanca de los maquillajes de fantasía y se untó toda su cara hasta dejarla bien blanca, como la de un *clown*. Luego tomó el único pedacito de lápiz negro que quedaba y, jugando a los claroscuros, comenzó a resaltar las futuras líneas de su cara. Se fue poniendo vieja y, en la medida en que lo lograba, más se acordaba de Sebastián. Era como si empezara a ver el rostro de él en el espejo, en lugar del suyo. «No hay nada más parecido a una vieja que un viejo», se dijo, tratando de alejar la seriedad con que estaba tomando la transformación. Al terminar, se dio cuenta de que el esperpento que tenía frente a sí era ella misma dentro de unos años y de golpe se sintió vieja, tanto que la espalda se le encorvó y la mano derecha le comenzó a temblar; era como si tuviera a Sebastián dentro de sí.

Andrea salió del camerino tratando de encontrar ayuda: con sólo veinticinco años era una anciana casi a punto de morir. Ya afuera, se topó con la directora artística, quien con una mueca de incredulidad le elogió el maquillaje, la entró de nuevo al camerino y le untó el desodorante también en el pelo, para simularle unas canas.

—Perfecto —le dijo Clara, en tanto se oyeron los gritos de «Llegó la Comisión», y con la misma, la directora salió corriendo del camerino para recibir a los visitantes, dejando a Andrea cada vez más vieja y menos consciente de quién era.

En efecto, Clara se paró en el escenario y vio a los tres miembros de la Comisión entrando por el pasillo central de la sala como Pedro por su casa. Clara bajó para encontrarlos e indicarles dónde se debían sentar. En eso, el luminotécnico apagó las luces in fade, tal como estaba acordado, tratando de crear un ambiente propicio para que los actores se fueran colocando en el escenario. Pero en aquellos segundos en que la oscuridad fue total, se escuchó un grito masculino prolongado:

—¡Ahhhhhhh!

Detrás le siguió un grito de Clara:

—¡Luceeeeesss!

Y se iluminó de un golpe el teatro completo, descubriendo a los actores que estaban ocupando sus posiciones. Pero, para sorpresa de Clara, faltaba un miembro de la Comisión.

Con mucha parsimonia, el Censor principal miró hacia el fondo del foso destinado a la orquesta y allá abajo vio a su compañero desparramado en el suelo.

—Míralo donde está —dijo el Censor—. ¿Estás bien, Filiberto?

Con voz de ultratumba el caído contestó:

—Me duele mucho la espalda.

A Clara su abundante pelo rizado se le erizó más que nunca; los actores, saliendo de la concentración que requería la preparación del espectáculo, comenzaron a caminar alarmados hacia el lugar del accidente. Pero Clara hizo rodar sus enormes ojos y el grupo se detuvo de golpe, comprendiendo que no era prudente crear ninguna algarabía ante la Comisión de Censura, así que todos se quedaron encima del escenario, esperando el desenlace de la situación.

El Jefe y su otro compañero bajaron al rescate del caído y, pasando sus brazos por encima de los hombros de ellos, lograron subirlo, con esfuerzo. Ya arriba, sucedió lo inesperado. El Censor Principal miró a Clara con desenfado y le dijo:

—No queda suspendido el ensayo. Después que terminemos, yo llevo a Filiberto al hospital en mi carro.

Clara miró la cara desesperada del accidentado, pero como no le convenía ponerse a mal con quien decidiría la suerte del próximo estreno del grupo, se viró hacia los actores gritando: «¡A sus lugares, que vamos a empezar!».

En cuanto lograron sentar a Filiberto en una de las sillas colocadas encima del enorme escenario en forma de círculo, porque se trataba de un espectáculo de «teatro arena», el luminotécnico hizo un apagón y después, con la señal que le dio la banda sonora, fue subiendo la intensidad de las luces dando a entender que se trataba de un amanecer.

Durante el espectáculo, la cara de El Principal se mantuvo sin expresión alguna.

Clara, por el contrario, cada vez que en la obra se hacía alguna alusión al poder o a la rebelión, se hundía en el asiento, pensando en la discusión que vendría después; pero al instante terminaba por empinarse en la misma silla, para que la Comisión no interpretara que ella se estaba acobardando.

Sin embargo, cuando Andrea salió en el personaje de la anciana, tanto El Gran Censor como Clara se quedaron sorprendidos. Jamás la directora estimó las cualidades de Andrea como actriz, pero esta vez la joven tenía una fuerza inusual, tanto que a Clara le pareció que tenía frente a sí al difunto Sebastián en sus mejores tiempos. El Jefe de los censores, por su lado, se mordió el labio inferior con la rabia de presenciar lo que, sin duda, era una buena actuación de aquella dramaturga insolente y criticona.

Por fin, terminó el espectáculo y los actores, con el maquillaje medio corrido, secándose el sudor y aún con sus vestuarios puestos, se sentaron en el tabloncillo frente a La Comisión de Censura. El Principal se inquietó un tanto porque no veía a Andrea, quien era en definitiva la directora general y autora del proyecto, hasta que del fondo del escenario vino caminando la joven, como si tuviese cien años. Clara se removió en el asiento, dándose cuenta de que Andrea seguía en personaje. Cuando estuvo próxima a La Comisión, El Censor Mayor se sonrió irónicamente y le dijo:

—He llegado a la conclusión de que tus obras son retorcidas y amargas porque tú eres retorcida y amarga.

Ante semejante insulto, el grupo tragó en seco esperando la respuesta de Andrea.

Para todos, la joven contestaría algo como: «Mis obras son retorcidas y amargas porque son el reflejo de una realidad retorcida y amarga». Pasaron algunos segundos; para sorpresa de los actores y de Clara, Andrea se encogió de hombros con un gesto que era característico del difunto Sebastián y no pronunció palabra alguna, creando nerviosismo entre sus compañeros, quienes la tenían por una heroína capaz de cantarle las cuarenta a cualquiera.

El Censor Principal frunció el ceño. Era extraño que la apasionada Andrea no le contestase. Además, él necesitaba que ella le discutiera para, en medio del acaloramiento, prohibirle el estreno. Entonces volvió a la carga:

—Es que tú escribes como si te fueras a morir mañana, por eso tus textos están sin terminación, hechos como a machetazos.

Algunos actores del grupo cerraron los ojos. Casi que adivinaban la respuesta de esa muchacha que se había convertido en el cerebro de ellos. Todos esperaban una réplica algo parecida a esto: «Es que realmente me puedo morir mañana y el tiempo no me alcanza para denunciar unas cuantas verdades que ustedes no me quieren dejar decir». Pero no, Andrea permaneció muda, esta vez mirando agudamente al Gran Censor sin despegar los labios, tal como lo hubiese hecho Sebastián. Ya en este punto, los actores empezaron a culparla en silencio por la prohibición que creían inminente, dado su silencio. Clara, atónita, no se atrevía a defender los ataques al texto de Andrea porque no lo había escrito ella.

Desesperado y molesto por la inquisitiva mirada de la joven. El Jefe de la Comisión decidió ser más concreto:

—El texto ese de que los obreros tienen las manos callosas metidas en una guayabera que casi nunca les queda bien, cuando los dirigentes rozagantes los van a condecorar... Ese texto no puede ir. ¿Cómo vas a atacar a quien te paga, a quien te permite hacer teatro? Y todas esa alusiones al hombre poderoso y con barba, eso tampoco puede ir.

El grupo terminó de perder sus esperanzas al comprobar que ni la censura directa de los textos hacía que Andrea se defendiera. Ésta sonrió y se quedó sin moverse, dispuesta a no inmutarse por nada, con esa actitud de agresividad pasiva tan propia del que fuera su maestro Sebastián. Clara, por su parte, bajó los ojos convencida de una derrota irremediable.

En eso se oyó un quejido de Filiberto, quien trataba de acomodarse un poco mejor en la silla. El Gran Censor, movido por el sonido, viró su cabeza hacia el accidentado y en ese pequeño instante pensó: «Que estrene, para que El Ministerio del Interior le prohíba la obra. ¡A ver si se la llevan presa! Ojalá». Y regresando su vista hacia Andrea, concluyó:

—Sepárenme asiento para el estreno —con la misma se levantó y, ayudado por su otro compañero, se dispuso a trasladar a Filiberto hasta el carro.

No lo podían creer, cómo era posible que sin discutir y enfrentarse a todos los insultos y críticas del Principal lograran el permiso para estrenar el espectáculo. Entonces empezaron a creer que la actitud de Andrea fue premeditada y a propósito, para lograr vencer a La Comisión. De nuevo la joven era colocada por sus compañeros en el lugar de las heroínas, cuando unos escasos minutos atrás era, para ellos, la estúpida y floja incapaz de defender el sacrificio de tantos meses de ensayos.

Clara acompañó a la comitiva que llevaba a Filiberto en brazos. Llegaron a la acera, el ayudante sano corrió a tomar las llaves del auto que su jefe le ofrecía con el brazo extendido, y velozmente abrió las puertas. Entonces Filiberto puso un primer pie dentro del carro y se sujetó del borde del techo que tenía a mano para poner sus nalgas cuidadosamente en el asiento; en esto, el otro subordinado, tratando de ser eficiente, cerró la puerta de un tirón sin percatarse que los dedos de su compañero estaban justo en el borde. A tal punto, no se sabía si el accidentado gritaba más por la mano atrapada o por la espalda. El Principal se montó pacientemente, arrancó el auto y se fueron.

Clara suspiró aliviada por la partida de los visitantes y corrió hacia dentro del teatro para contar todos los detalles al resto del grupo. Cuando se acercó al escenario, vio a Andrea rodeada por los actores, sentada sobre el tabloncillo en posición fetal, temblando y llorando sin atender a las palabras de sus compañeros. Clara no pronunció palabra, fue hacia el lobby, tomó el teléfono y llamó a Marta.

II

El Teatro de Varietés nació entre anteojos y abanicos posados en escotes de época. Como la escena misma, el espectáculo de sus butacas estuvo saturado de risas y pasiones que aún flotan entre sus paredes abandonadas, como fantasmas que invitan al placer.

Marta y Andrea se conocieron una noche en el Teatro de Varietés. Concluida la première de *El gato sin vida*, las jóvenes se encontraron en la puerta de entrada. Marta había decidido no regresar a la beca sin conocer a la autora; no le importó que sus amigos se fueran y la dejaran sola por temor a no encontrar transporte a altas horas de la noche. Esperó pacientemente a que el grupo se quitara el maquillaje y el vestuario en medio de las bromas propias de una noche de estreno. Todo era excitación: a Marta le brincaba el corazón con esos vuelcos repentinos y nerviosos. Cuando salió el grupo, apenas notaron su presencia, sólo René, uno de los actores protagónicos, miró de reojo a aquella muchachita con el pelo teñido de rojo, la piel trigueña y un cuerpo de maravillas.

A René no le quedó más remedio que detenerse cuando Marta se le interpuso en el camino. La fuerza de la joven lo impresionó hasta el punto de responder con la boca abierta a una de sus sonrisas.

—Me gustó tu papel —le dijo la muchacha.

René movió estúpidamente la cabeza como afirmando.

—¿Cuál de ellas es Andrea, la autora?

René se recuperó un poco, respiró profundo para llenarse de la brisa de aquella noche, y al hacerlo, subió la cabeza para topar con una luna redonda hasta el tope. Ya en este punto el actor se decidió:

—Acompáñanos, que nos vamos de juerga.

Sin saber a dónde iban, Marta caminó al lado de René, comentándole todos los pormenores del espectáculo. En tanto, se encontraban en cada esquina con alguien que les ofrecía lo mismo zapatos que cigarros, o paquetes de galletas, pero el grupo pasaba sin mirarlos; hasta que un hombre, vestido elegantemente, les ofreció una botella de ron Paticruzao, poniendo con su mercancía un alto en el camino de todos aquellos jóvenes.

Para aquel grupo de actores los precios impuestos en las esquinas de Centro Habana eran prohibitivos, incluso, al salir de los ensayos, comprendían que envidiaban a todos aquellos buscavidas que refugiándose detrás de las columnas, especulaban con el hambre de cada uno. Algunas veces se detenían a mirar las ventas de tan peculiar mercado, que, evidentemente, era dominado, en su mayoría, por gentes de la zona. Los compradores eran otros buscavidas que manejaban el dinero suficiente como para consumir lo que el otro «socio» vendía. El dinero circulaba entre los pícaros de la ciudad. En tanto, ellos miraban con deseo hasta un paquete de caramelos.

Ante la botella de Paticruzao se quedaron desconsolados pensando en el vino medio agrio de naranja que les había regalado el papá de Lucinda, quien se dedicaba a fabricar bebidas en su casa. La sorpresa fue cuando Marta sacó los ciento veinte pesos que costaba la botella y la compró. Todos la miraron con curiosidad: quién era aquel ser tan poderoso que se gastaba una fortuna con tanto desenfado. Marta le dio la botella a René, aclarándole:

—Para la fiesta.

El grupo empezó a buscarle conversación a Marta; sólo Andrea se mantuvo como al margen, observando.

No tardaron en llegar al cuarto de Andrea, ubicado en un edificio antiguo de la calle San Nicolás. La escalera olía fuertemente a orines, y para colmo, a la entrada de la puerta había un contenedor de basura desbordado, de manera que los desperdicios andaban regados por toda la acera. A Marta se le revolvió el estómago. «Esta Habana es un chiquero», pensó la joven en tanto brincaba sobre la inmundicia, de puntillas, para no ensuciarse demasiado los zapatos. Los actores del grupo no; ellos ya tenían incorporada la crisis que vivía aquella ciudad donde no se podía ni recoger la basura por falta de transporte y gasolina, y por la misma razón no se distribuían a tiempo los escasos productos que, procedentes del campo, llegaban a sus mesas o medio secos o medio podridos. La Habana era el punto más débil del atrincheramiento impuesto por el gobierno, y se notaba en el aspecto famélico de sus ciudadanos.

Todos subieron por la pestilente escalera hasta llegar a lo que sin duda fue la sala de una bellísima mansión. La casona, construida a finales del siglo XIX, guardaba en su arquitectura, enriquecida por la maestría del diseño de las rejas y barandas de hierro, la majestuosidad de la nobleza criolla de la época. La casa, evidentemente, había ido perdiendo importancia a través del tiempo, convirtiéndose en su día en prostíbulo y viéndose en la actualidad reducida a una simple cuartería de paredes descascaradas, con un agujero en el piso de la entrada, que los inquilinos y visitantes atravesaban por encima de un tablón viejo, flexible al peso de las personas. Marta cruzó el tablón sujetándose de la mano de René, quien le ofreció su brazo al ver el terror en la cara de la joven. El resto de la troupe pasó como si nada por aquel precipicio urbano, hasta llegar finalmente al cuarto de Andrea. La dueña giró la cerradura, abrió la puerta y todos vieron frente a sí una habitación que parecía un oasis en medio de tan desastroso desierto.

Andrea había dejado abierta la ventana que daba a la calle, ésa que le confería a su cuarto el privilegio de tener luz y ventilación a diferencia del resto de la cuartería. La dramaturga invitó con un gesto a que todos pasaran y se acomodaran. René la miró y ambos sonrieron cómplices, en tanto pasaban la vista sobre los muebles con la sensación de que aquellas piezas eran las más exquisitas del mundo: la cama fue, años atrás, el camastro encima del cual Cleopatra era paseada por todo el escenario, en brazos de sus supuestos esclavos; la mesa y las sillas procedían de la taberna de otro espectáculo del que ni tan siquiera recordaban el nombre. Todo había formado parte de la escenografía almacenada del grupo de varietés que hacía años había tenido por sede El Teatro Musical. El grupo fue desintegrado con el nuevo sistema de proyectos, quedando en el teatro y al abandono aquellas pertenencias de obras que jamás volverían a subir a escena. Así, los intrusos del grupo de Andrea, quienes trabajaban provisionalmente en la inservible sala teatral, aprovecharon para robarse cuanto mueble les pudiera ser útil en sus casas. Todo en el cuarto estaba relacionado con la escena, incluso aquella vista de la ciudad de La Habana que se apreciaba desde la ventana, y que parecía una excelente toma de cualquier filme de calidad; por lo menos así la describía la dramaturga, aun delante de sus visitas. En otro rincón, colgado de un clavo, estaba aquel farol querido que les sirvió de utilería en la obra *Sin medida*. Más allá, sobre una silla, reposaba el pañuelo floreado que un día utilizaron para cubrir la cabeza del personaje de La Vieja. También algunas fotos muy pobres y aficionadas, tomadas durante algunas representaciones, pegadas a las paredes.

Marta sintió alivio en cuanto entró a la habitación, era tan acogedor el sitio que a los visitantes se les olvidaba el temor de que en cualquier momento se podía caer el edificio. Andrea sonrió, abriendo los brazos a plenitud y complacida por estar a salvo en su guarida. Luego de la primera impresión y después de que todos se acomodaron, Marta continuó pasando revista por el espacio: se dio cuenta de que no había refrigerador, ni televisor, ni cocina; solamente una hornilla eléctrica situada encima de una mesita. También colocada cuidadosamente en otra mesa pequeña estaba una máquina de escribir que, por el modelo, parecía como de los años treinta. En el cuarto reinaba la pulcritud y el orden, algo difícil de aceptar para Marta, quien creía que todos los artistas eran medio cochinos.

Abrieron la botella de ron, brindaron por el éxito de la obra y, entre risas, volvieron a repasar todas las anécdotas simpáticas que acontecieron durante la representación. En ese punto recurrente, Andrea sintió sobre sí la mirada de Marta y por instinto volvió el rostro, clavándole los ojos a la intrusa, quien no pudo aguantar el reto y bajó la vista entre nerviosa y desconcertada.

Andrea se había vuelto muy paranoica durante los últimos meses, sobre todo porque constantemente recibía señales de que no debía moverse de La Habana. Cada vez que salían de gira, los planes no les iban muy bien. El colmo fue el viaje a Santiago de Cuba, cuando el grupo teatral El Santiaguero los invitó a presentar *La noche y sin medida.* Al llegar, los hospedaron en un motel muy alejado de la ciudad, donde no llegaba ni el transporte urbano. Durante una semana, Andrea estuvo pidiendo al director de El Santiaguero y a otros funcionarios que necesitaba ver los teatros, ensayar, porque el día previsto para las funciones se acercaba. Notó que el director estaba como asustado, apenado, entonces comenzó a sospechar que algo no andaba muy bien. Finalmente, la víspera de la puesta le informaron que las autoridades culturales locales sólo permitían que las funciones fuesen presentadas para los teatristas, exclusivamente. Andrea sonrió al director de El Santiaguero, lo miró de arriba abajo, respiró profundo y cedió por compasión, imaginando las presiones que estaría sufriendo por parte de los funcionarios. No se podía esperar otra actitud de aquellos trogloditas que se pasaban todo el día bebiendo ron, viviendo de sus cargos en el sector de la Cultura, sin que les importaran realmente las necesidades de los artistas. Ellos menos que nadie estarían dispuestos a perder sus traseros arriesgándose con un grupo revoltoso de La Habana. «Por lo menos podremos ver a la gente de El Santiaguero», le dijo Andrea al grupo. Las representaciones fueron memorables, los actores dieron todo de sí porque salieron a escena con un sentido de opresión muy grande y lloraron como nunca, y también hicieron reír a sus amigos, con una rebeldía interior irrepetible. A final de la función se produjo el intercambio que nadie podía evitar: los grupos se abrazaron con una fuerza única. Pero al poco rato, los invitados tuvieron que regresar al apartado motel como si fuesen unos apestados.

Se suponía que saldrían al día siguiente para La Habana, en el tren. «A las cinco en punto de la tarde», como dijera Federico García Lorca, los recogió un transporte estatal y los llevó a la estación. Pero al llegar, vieron a aquella enorme mole maciza, detenida y sin intenciones de andar. Sobre el tren revoloteaba una veintena de aves de rapiña, creando un espectáculo que le helaba la sangre a cualquiera. La locomotora estaba simplemente muerta desde hacía varios días y no se sabía cuándo volvería a funcionar. Tardaron quince días más en volver a casa.

Eran demasiados obstáculos y símbolos que tenían a Andrea en alerta, por lo que la presencia en su casa de Marta, una desconocida, la empezó a inquietar. «El mal se corta de raíz», se dijo la dramaturga, en tanto se acercaba a Marta para terminar sentándose a su lado. La visitante se corrió un tanto en el camastro de Cleopatra para hacerle un lugar a Andrea, quien al sentarse le sonrió y se quedó mirándola. Marta la desafió esta vez con la mirada, hasta detallarle el color grisáceo de los ojos, aquellos que en el teatro le habían parecido azules.

—Me gustó la obra.

Andrea contestó con un gesto de interrogación.

—En la beca a la gente le gustan las obras... calientes. Yo estudio Arquitectura.

Andrea hizo un gesto de interés que hizo sentir a Marta más cómoda y menos estudiada. Con diplomacia, empezó a hacerle preguntas sobre su vida. Y Marta, a sabiendas de que se trataba de un interrogatorio cortés, accedió a contestar porque sin explicárselo muy bien sentía la tentación de ser amiga de aquella muchacha tan recelosa y atrevida, debía darle confianza con sus respuestas si quería tenerla cerca y, más cuando ella había llegado a su casa como una intrusa. Al mismo tiempo, de cierta forma, Marta se sintió por primera vez halagada en el grupo, porque se convirtió en el foco de atención de todos cuando se confesó pinareña, proveniente de una familia que tenía tierras y animales. En ese punto, los actores pararon las orejas, extasiados al oír hablar de gallinas, cerdos, vacas... Era como si Marta fuese para ellos un ángel caído del cielo. Sin más dilación, se unieron al diálogo y tratando de sensibilizarla con el hambre que tenían, empezaron a recordar cómo olía y sabía la carne de cerdo, el pollo frito... y concluyeron cantando aquella canción antigua que años atrás popularizó Barbarito Diez, tema del espectáculo que acababan de estrenar: «Cuándo volverá la Noche Buena, cuándo volverá, el lechoncito, cuándo volverá, un congricito...».

Por supuesto que todo acabó en conga y baile, cuando Marta, dándose cuenta de la maniobra de los actores y conocedora de la psicología hambrienta de los habaneros, terminó por prometerles, de buena gana, que el fin de semana entrante los invitaba a todos a la finca, a comerse un cerdo de ochocientas libras que venía criando desde hacía un año. La invitación hizo recelar mucho más a Andrea.

III

En época de miseria y trueque, puede que un abanico se cambie por arroz sin tener en cuenta el calado de sus maderas y la calidad de las cintas. En la desesperación del calor maloliente de La Habana Vieja, el abanico echa fresco y nada más.

Todavía no se sabe bien cómo lograron llegar a Pinar de Río, pero el grupo de teatro estaba dispuesto a todo, menos a dejar pasar aquel puerco. Clara y Rebeca consiguieron los pasajes con un amigo que tenían en la estación de ómnibus, al que prometieron traer manteca de puerco al regreso.

René fue el encargado de tratar de convencer a Andrea para que los acompañara a Pinar del Río, pero ella estaba renuente a salir una vez más de La Habana y menos en esta ocasión, cuando la invitación venía de una persona extraña. Además, a ella no le interesaban los puercos porque era vegetariana.

—Seguro que hay frijolitos negros y tomaticos —insistía René en la sala de espera del hospital adonde la acompañaba todos los jueves para que recibiera unas sesiones de terapia contra el estrés que el psiquiatra le había recomendado con urgencia.

—¿Cuánto te apuestas a que los frijoles los cocinan con manteca de puerco y no los puedo comer? —preguntó Andrea muy exaltada.

—Pero no te subleves por eso que te va a volver a subir la presión —contestó René.

—El colesterol, ése sí que me va a subir, si sigo hablando de carne de puerco.

—Entonces vamos a hablar de belleza: ¿Te fijaste que cuerpo más espectacular tiene... Cómo se llama... Marta? Sí, Marta.

Andrea miró a René con suspicacia.

—Por eso mismo pienso que es una carnada, una infiltrada.

Y en eso se levantó para acudir al llamado que le estaban haciendo desde la consulta médica.

Las sesiones de terapia eran muy simpáticas: acostaban al paciente en una camilla, le ponían una almohada y acto seguido se empezaba a escuchar, grabada, la voz de un hombre muy apacible que inducía paso a paso la relajación. Una vez que la persona tenía el cuerpo bien suave, la voz empezaba a fantasear tratando de que la mente del paciente se fuese hacia zonas agradables. A Andrea la parte que más le gustaba era cuando le pedían que pensase en un momento de felicidad. Aquí ella siempre se imaginaba que iba manejando una lancha rápida por un mar muy azul, con una gorra puesta y un par de espejuelos oscuros. Luego en su casa se reía a solas porque ella jamás había montado en una de esas lanchas, ni tenía posibilidades de hacerlo; además, la imagen le parecía tan ridícula que no podía hacer otra cosa que burlarse de ella misma. Pero, bueno, la relajación realmente le era efectiva, así que cuando terminaba, René la recibía como venida de las nubes, la tomaba del brazo y salían a la calle.

Ya en la acera, se ponían a esperar algún transporte en medio de un gentío enorme y allí la cara de Andrea comenzaba a cambiar. Si venía algo en que montarse, tenían que forcejear con el resto de la gente para lograrlo a como diese lugar; en este punto, la cara de Andrea ya era de terror. Si se montaban, el calor y los empujones eran tan grandes que terminaba llena de ira e impotencia.

—Lo que más hubiese deseado en este mundo es haber nacido grande y fuerte como una muralla —comentaba la joven a René todos los jueves.

En fin, cuando su amigo la iba a dejar en su casa, tenía que sentarse con ella y conversar de cualquier tema para poder volver a un estado emocional normal. Sin embargo, decidieron que ella debía seguir con el tratamiento de terapia porque al menos tenía una hora de paz una vez por semana.

En esta ocasión, luego que llegaron al cuarto de Andrea, René volvió a insistir en el paseo de fin de semana a Pinar del Río.

—No es bueno que sigas encerrada aquí, olvídate de Tania, ella está lejos y la debe de estar pasando de lo mejor con la sueca esa con la que se casó. Tania es una jinetera y a las jineteras hay que darles dos patadas por el fondillo. Lo único bueno que te dejó es este cuarto que al menos tiene una vista bonita de La Habana. Piensa en un día de campo, aunque no comas nada, piensa en nosotros que no nos vamos a sentir bien sin ti. A Marta la que verdaderamente le interesa eres tú. Si llegamos solos, capaz de que no nos dé ni una costillita... Tú eres lo suficientemente inteligente para no dejarte envolver por nadie...

René paró su discurso para respirar con la intención de proseguir, pero Andrea lo detuvo con un gesto.

—Si me prometes que jamás, pero jamás, volverás a mencionar el nombre de Tania, voy.

René, sin pronunciar palabra, afirmó repetidamente con la cabeza.

Fue un gran acontecimiento la entrada del grupo teatral por la calle en que estaba situada la casa de Marta. Algunos niños que jugaban descalzos y sin camisa, justo en medio del camino, corrieron a sus casas para llamar a sus familiares porque «un grupo de locos andaba por el barrio». Las mujeres salieron curiosas para ver a los peludos actores y a las extrañas actrices; los hombres se detuvieron a observar los ombligos al aire y las caderas de las teatristas que, para salvarse del calor, venían lo más ligeras posible.

En realidad la vestimenta del grupo no difería mucho de lo que usaban comúnmente los jóvenes del país, pero el verlos llegar juntos, riéndose con desenfado y tratando de respirar de un tirón todo el aire de las afueras de aquella ciudad pinareña, la atención del vecindario se puso sobre ellos. Ser el centro les halagaba muchísimo, y no tardaron en entablar contacto con la muchachada que los perseguía: unos corriendo con papalotes en la mano, otros deslizándose por yaguas y los más metiéndose en los charcos de agua que había dejado en la calle el aguacero de la noche anterior.

Marta se rió al verlos aparecer en su puerta y los mandó a bordear el portal que rodeaba toda la casona para que entraran al patio donde todo estaba preparado para la llegada de ellos. Detrás de la casa estaba la finca, y justo debajo de una frondosa mata de aguacates se encontraba una mesa larguísima con dos bancos a cada lado sobre los que se fueron sentando los invitados extasiados a la vez con el olor del puerco que, sólo a unos pasos, el padre y los hermanos de Marta asaban en un hueco. La madre de ésta asomó la cabeza por la ventana de la cocina en tanto freía unos tostones y le daba los últimos toques al congrí.

Cuando la anfitriona les ofreció unas cervezas, el grupo terminó por creer que se encontraban en el paraíso. Hacía meses que aquellos habaneros no veían tanta abundancia.

—Esta comelata no se hace aquí todos los días —les dijo Renato, el papá de Marta, a los amigos de su hija, al observar la cara de sorpresa de todos aquellos peludos—. La cosa está muy mala pa'la gente pobre, yo me defiendo con esta tierrita, pero no vayan a creer que la comida rueda por Pinar del Río.

Enseguida empezaron a llegar algunos vecinos, los niños del barrio, otros miembros de la familia, todos tan ansiosos como los habaneros por empezar a picar de aquel fabuloso cerdo de orejas puntiagudas.

—¿Alcanzaremos algún chicharrón? —preguntó Clara a sus compañeros en tono de compinchería. Y mientras todos se reían, René retorció la boca al ver llegar a un joven que, por la forma de aproximarse a Marta, era evidentemente su novio.

Andrea ni se inmutó cuando aquel muchacho alto, fuerte y de rostro agradable, enlazó a Marta por la cintura y la besó, a la vez que miraba a los reunidos para ver si la gente notaba su compromiso. Ella, por su parte, se sacudió apenada y, arreglándose la blusa, observó a sus invitados para comprobar si habían visto el beso o no; pero en el acto volvió a topar con los ojos, esta vez azulísimos, de Andrea que vagaban sin rumbo por el panorama que tenía frente a sí. Las miradas de las jóvenes chocaron involuntariamente.

Unas nubes se detuvieron encima del patio, oscureciendo, por unos minutos el lugar; entonces, bajo la sombra inesperada, aquellos ojos se tornaron grises. Marta se rió por el cambio, de una forma tan radiante que las dos sintieron, al mismo tiempo, un corrientazo que las sobresaltó. René, que estaba pendiente, se sonrió al ver la reacción de las muchachas y Alfredo, el novio de Marta, se mordió los labios haciendo evidente la impotencia que le provocaban los celos.

Alfredo vivía en la misma ciudad y las familias de ambos jóvenes se conocían y aprobaban el noviazgo, pero Marta, de vez en cuando, rompía la relación con él, harta de su presencia y su simplicidad. Alfredo era de esos que se pasan las horas frente al espejo, y se sentía codiciado por otras muchachas. No podía soportar que la novia perfecta lo tratase con desdén, y Marta sólo lograba con ello el empecinamiento del joven en mantener el noviazgo de cualquier manera. Ofelia, la mamá de Marta, era su más poderosa aliada.

Desde que Marta decidió estudiar Arquitectura en La Habana, algo que su padre no estaba dispuesto a impedirle a pesar de los reclamos del novio y de las objeciones de la madre para frustrarle la carrera a la joven, la relación de Marta y Alfredo empeoró. Sólo se veían los fines de semana y para colmo no todos, porque en ocasiones las obligaciones en la universidad no permitían a la joven ir a Pinar del Río. A veces Alfredo era quien iba de visita a La Habana, pero la muchacha casi no lo podía atender, sobre todo si tenía exámenes. Así que cuando Alfredo se enteró de que Marta tenía invitados de La Habana, aquel domingo, se puso rojo de ira porque una vez más ella demostraba una independencia de él que lo situaba en un punto incómodo frente a sus amigos pinareños, y en un lugar muy alejado del interés de su novia.

Hasta el momento, Marta no había tenido ninguna atención especial con Andrea, y por otra parte la dramaturga tampoco había demostrado extremos con la infiltrada, desde su llegada a la finca. Pero aquel cruce de miradas fue un real aviso para las jóvenes.

Andrea cerró los ojos y respiró profundo al comprobar que tal como dijo días antes, ella no debió moverse de La Habana: una nueva batalla la estaba reclamando y se sentía demasiado herida y cansada para salir al combate. Marta, por su lado, tuvo el impulso de mandar a su novio al demonio, pero se contuvo para no buscarse el regaño de su madre, justo cuando tenía invitados en casa. No obstante, desde ese momento, sólo pensó en sentarse junto a la escritora; y ésta deseaba, con todas sus fuerzas, que llegara el próximo jueves para asistir de nuevo a su sesión de terapia.

Andrea siempre supo que las emociones podían matarla, hasta el extremo de que frente a un estímulo especial, lo mismo le subía la presión, que le salía un orzuelo en el ojo o un grano enorme en la nalga. Sabía que en cualquier momento el riesgo de vivir podía romperle el cuerpo en mil pedazos, por eso a sus veinticinco años trataba de dominar sus sentimientos y sus actos, sin ningún resultado. «No me puedo controlar», decía continuamente a sus compañeros. Tampoco se pudo contener cuando vio a Marta, cerveza en mano, dejar atrás a su novio y encaminarse hacia ella para ya, frente a frente, tomar un sorbo de cerveza y ofrecerle de la misma botella. Consecuente con el salto de su corazón, Andrea se levantó de golpe y como si se aproximara al borde de un abismo, tomó la botella para saborear la huella que Marta había dejado de su boca, especialmente para ella. «Me lograste sacar de La Habana», pensó sonriente, y se paró frente a la joven pasándole su mano por el brazo en muestra de afecto, a sabiendas de que si no tenía fuerzas para enfrentar su destino, menos las tenía para rehuirlo.

Ofelia no tardó en salir de la cocina. Venía con una bandeja llena de tostones que por el aspecto parecían los mejor hechos del mundo. Se acercó satisfecha, como cualquier campesina que siente orgullo por cocinar tan bien y para tanta gente; además, estaba acostumbrada a hacerlo sin agobios ni mal genio. Adoraba cocinar, sobre todo porque al final recibía elogios y gratitudes de los demás, incluso alguna que otra vez sus hijos la agasajaban con una tanda de aplausos. Renato decía que Ofelia lo atrapó de joven con sus mañas en la cocina.

Sin embargo, esta vez, cuando Ofelia llegó al medio del patio la alegría se le fue del rostro en un santiamén. Primero se fijó en la cara de disgusto de Alfredo, quien permanecía como un policía en medio de la conversación de Marta con una muchachita tan blanquita y rubia que a Ofelia se le pareció a un monito blanco. Para colmo, la jovencita crispaba las manos al expresarse de una manera tan varonil que Ofelia tragó en seco, dejó la bandeja sobre la mesa de los invitados y se acercó a su hija para pedirle ayuda en la cocina. No hizo comentarios con ella en ese momento, sólo se limitó a ocuparla con muchas tareas alegando «que los invitados debían llevarse una buena opinión de la familia». Pero la maniobra de la madre no logró esfumar el mal genio del novio, ni los deseos de las dos muchachas por tener un rato para simplemente conversar. René, quien no le perdía movimiento alguno a Andrea, la acompañó de cerca todo el tiempo para evitar cualquier percance desagradable con Alfredo. Pero la furia no se desató por donde el actor creía, al final tuvo que darle a Andrea una pastillita, de esas que ella tomaba para la presión, porque la vio un poco roja y nerviosa cuando la madre de Marta la miró con despecho al ver que ella no probaba de su comida campesina, bañada en manteca de puerco calientica.

Ya de tarde, el grupo, luego de dar mil gracias por la invitación y con la seguridad de no irse sin una botella de manteca para el amigo de la estación de ómnibus, desanduvo de nuevo el camino con la satisfacción de haber pasado un día magnífico para sus estómagos. Incluso Andrea, aunque no comió más que tomates y lechuga, llevaba el alma alimentada por un nuevo ideal, y eso, a pesar de conocer las dificultades que le traería, también le daba fuerzas y deseos de vivir.

Sin embargo, durante el viaje, cuando todos dormían en sus asientos, Andrea vio en sueños que Alfredo traía una enorme bandeja para un banquete. Al colocarla sobre la mesa, Andrea se dio cuenta de que la bandeja llevaba encima a Marta muerta y con la piel crujiente como la del puerco que asaron en la tarde. Lo más impresionante era la cara de la muchacha con los ojos cerrados por unos párpados tostados al fuego y su boca consumida por la cocción. Reconoció en la escena a los padres de Marta contentos y prestos a comerse aquel asado, pero en el punto en que Renato levantó el cuchillo para enterrarlo en el cuerpo de su hija, Andrea se despertó sobresaltada y con angustia. El resto siguió durmiendo.

IV

Aún intranquilo, el abanico de la noche anterior se encontraba sobre la silla de escribir. Era un simple cartón atado a una varilla de madera que apaciguó el sudor de tanto andar sobre la cama; tal vez gracias a la imagen descolorida de un bosque ruso bañado en nieve que, insistente, permanecía en su superficie.

Cuando el sol entró por las persianas del cuarto de Andrea, Marta se despertó suavemente, se estiró, bostezó a sus anchas, miró a su alrededor y se sentó de un tirón en la cama. Algo asustada, recorrió con la vista la habitación, pero al darse cuenta del lugar en que estaba, comenzó a sonreír satisfecha. Volteó la cabeza y vio a Andrea dormida a su lado, tan ida estaba la ausente que aprovechó su sueño para observarla libremente. Se puso a fijarse con detalle en los repetidos sobresaltos de su cuerpo desmadejado. «¿Por dónde andará?», se preguntó, sin tener ni la más remota idea. «¿Quién será realmente?» En este punto, Marta se puso seria y pensando en lo preocupados que estarían sus compañeros de clase, se cuestionó el por qué estaba allí y no en la beca, como era su deber.

Desde hacía tres días las jóvenes permanecían juntas y encerradas en la vieja mansión de Centro Habana. El pedazo que les pertenecía era solamente aquel cuarto de la vecindad, pero sus pocos metros cuadrados les favorecían para conocerse poro a poro.

Era algo extraño, porque desde que amanecía, recordaban los deberes del día, los repasaban y hacían sus planes seriamente, conviniendo hasta la hora de regreso; pero cuando llegaba el momento de salir a cumplir con las obligaciones, a pesar de que sabían que se volverían a encontrar más tarde, no lograban separarse. Los besos de despedida se alargaban tanto que terminaban las dos, una vez más sobre la cama o sobre la mesa, o simplemente sobre el piso. Tal vez se convencieron durante aquel tiempo de que el Universo estaba compuesto por ellas y nada más.

Andrea afirmaba que estaban poseídas por Fredesbinda y Caridad, dos supuestos fantasmas que debieron vivir en La Mansión, cuando la casona era un prostíbulo. La historia inventada les arrancaba continuamente risas de complicidad; y así, mientras se besaban desnudas sobre el camastro de Cleopatra, podían establecer un diálogo con «Cary y Frede», a las que imaginaban pegadas al techo, excitadas por las actuales escenas de amor que a su vez las jóvenes suponían incitadas por la libidinosidad de las que bien pudieron ser dos putas del burdel.

Les daba un sabor especial pecar en un viejo antro de pecado, más cuando ambas muchachas pensaban que intercambiar los líquidos de sus cuerpos era un acto tan maravilloso que de seguro contaba con la bendición de Dios: era como pecar con licencia, en fin, libre de culpas. Lo cierto es que el amanecer de aquel tercer día en el cuarto de Centro Habana comenzó, realmente, cuando al despertar Andrea, Marta le acarició la frente casi sin rozarla y luego acercó sus labios a las sienes de la dormilona, para grabarle su amor con un beso de silencio. Pero de pronto, un toque insistente en la puerta acabó con el encanto de la mañana.

Rápidamente, recogieron las ropas, se vistieron y arreglaron la cama, en tanto Andrea repetía:

—¿Quién es? Ya va —pero lo decía tan por lo bajo, a causa de los nervios, que desde afuera, nadie le contestaba porque no la podían oír. Sólo volvían a golpear la puerta una y otra vez, poniéndola al borde de una neurosis que terminó por asustar a Marta, quien no entendía por qué su amiga estaba tan desquiciada.

Andrea comprobó que el cuarto estaba en orden, se persignó para llenarse de valor, miró a Marta, dándose cuenta de que no podía esconderla en ningún rincón de aquel espacio tan pequeño y tratando de superar su angustia, abrió, finalmente, la puerta.

Se relajó al topar con el rostro sonriente de René, pero enseguida se llenó de ira por el susto que había pasado. René, quien la conocía muy bien, se le abalanzó y la abrazó con afecto, para calmarla un poco. Marta no entendía absolutamente nada. Y Andrea, por no discutir delante de su amiga, apretó las mandíbulas e invitó al inoportuno a sentarse, al tiempo que respiraba profundo para tratar de que su corazón recuperara el ritmo normal. Marta también se sentó.

René tenía sus razones para fracturar la flor de loto donde sus amigas se empeñaban en construir un templo ideal y así, como el emisario que merece morir por las nuevas que trae, hizo rodar la realidad circundante dentro del cuarto de Centro Habana. Andrea se puso de pie cuando supo que estaban invitando al grupo a dar funciones en Cienfuegos. Estaban casi obligados a ir para aumentar el número de presentaciones y así justificar el presupuesto que les asignaban. Andrea tragó en seco con la cabeza llena de malos presagios, pero cuando se enteró además de que Alfredo andaba buscando a Marta en el teatro, terminó sentándose para no caerse del mareo que sintió.

Marta, por su parte, miró fijamente a René, dándole a entender lo grave de su situación. A estas horas, su familia en Pinar del Río debía de estar alarmadísima por su desaparición.

Sin decir más, René se despidió con apuro, preocupado porque su mujer lo estaba esperando para destilar unas botellas de alcoholitis que querían vender, con la ilusión de empezar algún negocio que les permitiera mantener la casa y quitarse de encima la mirada persistente del hijo de René, que estaba de visita. Al cumplir diez años, por fin su mamá lo había dejado pasar por primera vez las vacaciones en La Habana, con el padre. René estaba contentísimo de tener un acercamiento con Renecito y Azucena, su actual esposa. Ella lo estaba apoyando con todas las fuerzas de su corazón pero todas las tardes el niño se sentaba a la mesa con los ojos muy abiertos, dando la impresión de que tenía hambre. El matrimonio se sentía avergonzado por no poder ofrecerle lo mejor y estaba temeroso de no lograr ganarse el cariño de tan especial visitante.

Ya a solas, Marta y Andrea se miraron en silencio, sentadas por primera vez con la mesa de por medio. Andrea tamborileó con sus dedos sobre el tablón, mostrando aire de preocupación, y comenzó a recriminarse por su falta de sentido común al rogarle a Marta todos estos días que no se fuera a clases, «que se quedara un ratico más...».

—Tanto te he querido tener cerca que te van a obligar a alejarte de mí —concluyó nerviosa y pesimista.

Marta, resuelta, aclaró sobre la mesa que no se arrepentía de ser feliz y de repente las dos se sobresaltaron por un estruendo que sintieron en el cuarto, como si todos los libros de Andrea se hubiesen caído estrepitosamente. Pero miraron a su alrededor y nada se había movido de lugar. Primero les latió el corazón fuertemente, luego, con las miradas cruzadas, fueron recuperando la tranquilidad por medio de la calidez que se trasmitían una a la otra. Volvieron a reír con ganas, recordando a Fredesbinda y Caridad, que en la imaginación de Andrea estarían molestas por la seriedad de las jóvenes.

Ya más relajada, y sin saber por qué, Andrea empezó a recordar para Marta aquel día en que, siendo alumna del Instituto de Arte, vino su amiga Tere muy asustada para avisarle que las dos estaban acusadas en El Decanato, por un tal Julio, de ser lesbianas. Andrea miró a Tere con una mirada inquisidora y la joven, bajando los ojos, confesó:

—Dice que nos vio besándonos en el aula... Él vino primero a hablar conmigo... le dije que tú y yo estábamos empezando.

Andrea nunca olvidaría el aplomo que se apoderó de ella ante una noticia que podía cambiar su vida total y completamente, hasta el punto de condenarla a vivir, con sus dieciocho años, por el resto de su existencia, en un mundo marginal, sin derecho a un lugar en aquella sociedad, donde el afán por formar hombres nuevos o perfectos excluía a los diferentes o imperfectos. Estaban a punto de ser expulsadas para siempre, como estudiantes del sistema educacional estatal y único en el país. En medio de una frialdad inexplicable, Andrea respondió con un tono sorprendentemente lapidario:

—Niégalo todo.

Así fue. El caso se convirtió en uno de esos interminables procesos de palabra contra palabra. Pero no por ello dejó de tener consecuencias lamentables y memorables para todos los implicados. El Decanato procedió a realizar un Consejo Disciplinario y para ello nombró a tres personas de La Facultad: José, el secretario; Jesús, el presidente de los estudiantes; y María, la profesora de Lingüística, que hizo todo mucho más difícil.

María era una mujer que devoraba sus uñas hasta casi la mitad de las yemas de los dedos y gustaba del baseball y el boxeo, hasta el punto de entusiasmarse tanto cuando hablaba de esos deportes que siempre terminaba proyectando el puño de su mano derecha sobre la palma de su mano izquierda con tal efusividad que hasta la voz se le ponía gruesa; pero ella estaba casada y tenía dos hijos preciosos. Sin embargo, lo peor tal vez fue que María era una amante profunda de la lectura, ella confesaba que siempre se dormía con un libro en la mano, sobre todo si se trataba de novelas del género policíaco, adoraba las intrigas que generaban estos temas y el papel de los detectives y policías. Y así María se incorporó a sus funciones en el Consejo Disciplinario como todo un juez de instrucción que debía lograr la confesión de las criminales. Claro que no le faltó el criterio de Gabriel, el secretario de la juventud comunista, quien le susurró al oído que si apretaba a Tere, de seguro hablaba hasta por los codos.

De esta manera El Consejo Disciplinario, lejos de lo establecido en las academias, se convirtió en interminables interrogatorios que parecían no tener fin. Andrea sacó de la memoria aquella tarde en que, mientras esperaba su turno en la planta baja de la Facultad, escuchaba en el piso superior los golpes que María daba estruendosamente sobre el buró, tratando de intimidar a Tere. Andrea aguardó alrededor de cuatro horas, como otras veces, hasta que liberaban a Tere y la mandaban a subir a ella. Pero aquella tarde, en especial, las muchachas coincidieron en la escalera y al cruzarse, se hablaron por primera vez, luego de un mes. Tere murmuró:

—No lloré.

Andrea, sin mirarla, tragó en seco y subió. Ella nunca lloraba, tenía una calma profunda que protegía cada una de sus respuestas; lo que nunca nadie supo era que el secreto de su entereza, radicaba en un paquete de tabletas de Meprobamato que llevaba siempre consigo. Pero esta vez se le aguaron los ojos antes de entrar a la oficina, al reconocer en el murmullo de Tere la separación forzada a que las había llevado el ímpetu del primer amor.

Marta, mientras más oía de la historia, más lloraba, comprendiendo los sustos y nerviosismos que afloraban continuamente en la Andrea que tenía frente a sí, más vieja y por lo tanto experta en el peligro de amar de una forma diferente a los demás. Andrea no se calló, a pesar del llanto de Marta, pero volvió su tono más jocoso para adentrarse en el desenlace de la historia.

No recordaba cuándo escribió en una hoja de su cuaderno de escuela: «Siempre nos queda una salida: la muerte». Pero Mimí, que era una jovencita simpática y bromista hasta la crueldad, le pidió una tarde sus notas de clase para estudiar por ellas. Ésta le dejó el cuaderno con prisa porque tuvo que irse más temprano para cumplir a tiempo con la cita fijada por el abogado Flores, al que el papá de Andrea había contratado para acusar a Julio por difamación. Así ella no se percató de la nota indiscreta e íntima que, insertada con los apuntes académicos, le entregó sin querer a Mimí.

Lo cierto es que cuando Mimí encontró aquella frase tan pesimista escrita en el cuaderno de notas de Andrea, empezó a enseñársela al resto de los alumnos en tono de burla, hasta que llegó a manos de un profesor, quien se tomó en serio el asunto porque no era la primera vez que veía suicidarse a un adolescente de la Escuela de Arte, acosado por homosexual.

Entonces vino el pánico y el complejo de culpa. El aula se organizó para buscar a Andrea, quien al irse temprano y entregar los papeles a Mimí, despertó la sospecha de que tramaba un suicidio espectacular. Un grupo salió para El Mirador de la Escuela, donde decían que más de un alumno se había lanzado, años atrás, por las mismas razones que podría tener Andrea. Otro grupo comenzó a bordear el Río Quibú, pensando, tal vez, en el personaje shakespeareano de Ofelia. Y del Decanato empezaron a llamar continuamente a la casa de la alumna, tratando de averiguar si la familia sabía dónde se encontraba.

Andrea regresó casi a las once de la noche porque Flores era un abogado tan solicitado que la joven no tuvo más remedio que aguardar toda la tarde para la entrevista, sentada entre familiares de supuestos criminales, ladrones, malversadores y anticomunistas.

La escritora aprovechó el tiempo, estudiando los rostros de las gentes y tratando de adivinar sus problemas o simplemente escuchando historias donde los acusados nunca eran culpables, por supuesto. Andrea se identificó con las angustias de los dolientes, en definitiva ella estaba siendo tratada también como una criminal pero su problema era tan íntimo, tan relacionado con la moral sexual, que prefirió mantenerse callada todas esas horas, llegando a la conclusión de que tal vez existía menos prejuicio entre la gente para confesar un asesinato que un acto de lesbianismo; aunque fuera como su caso, que acudía al abogado para devolverle la acusación al acusador. Su silencio despertó la curiosidad de los presentes pero ella ni se inmutó. Cuando la observaban, miraba hacia afuera por la ventana para disimular, sin imaginar siquiera la tragedia que le aguardaba en casa.

Al llegar, la familia entera la estaba esperando como si se tratara de alguien en peligro de muerte. Sus padres no entendían las llamadas amenazadoras del Decanato, por lo que no dijeron donde se encontraba Andrea, provocando a su vez la continuación de las llamadas. Ella tampoco sabía por qué trataban de localizarla con esa urgencia de vida o muerte. Entonces empezaron las conjeturas, los miedos a la expulsión, al escándalo, los reproches, la discusión, y sonó, una vez más, el teléfono. Todos se miraron para decidir quién contestaría la llamada, pero Andrea se adelantó y tomó el auricular. Era Tere, y Andrea se petrificó: las familias de las jóvenes les tenían prohibido todo tipo de contacto y esto podía agudizar la situación familiar. Con la voz débil por la emoción, Andrea la saludó, escuchando por respuesta las palabras entrecortadas de Tere, quien trataba de explicarle a Andrea por qué, si aparecía viva en la escuela al día siguiente, sus compañeros aseguraban que ellos mismos la matarían.

Después de conocer lo sucedido, para Andrea fue difícil llegar aquella mañana a la Escuela de Arte. Una vez más tenía que cubrirse, como todos los días, con la armadura y el escudo propio que requería la situación. Llegó con su cara relajada y segura, mientras el miedo le latía por dentro. No hizo más que subir dos escalones de la entrada y alguien vino a comunicarle que El Decano la estaba esperando.

La oficina de El Decano era clara y limpia, iluminada por el sol. Al entrar Andrea, El Decano le ofreció asiento cortésmente. Este hombre, que aún conservaba la extraña costumbre de muchos en la Isla de vestirse con cuello y corbata, era escritor y había ocupado un cargo diplomático durante varios años. Ernesto era su nombre y siempre que hablaba recordaba a las personas educadas esmeradamente, antes de la Revolución. Su piel blanca, las canas y aquella sonrisa perenne, junto con el aire despreocupado de quienes están a punto de retirarse de la vida laboral, le conferían una calma fuera de lo común. Ernesto ya no aspiraba más que a vivir en paz el resto de sus días, la gente lo sabía y tal vez por eso, no tomaban demasiado en cuenta su autoridad.

El Decano le extendió un documento donde aparecía escrito oficialmente el veredicto final de El Consejo Disciplinario.

—Usted está exonerada de culpas por falta de pruebas —le dijo, en tanto sonreía a la joven, quien recibió el papel casi sin expresión en el rostro, muda por la sorpresa.

Entonces Ernesto se le acercó, y muy por lo bajo le comentó:

—Esta experiencia le servirá a usted para escribir el resto de su vida. Aunque la encierren en un cuarto, aunque esté aislada del mundo, usted tendrá tema que contar. Y recuerde: quien no tiene enemigos, no vale nada.

Ya fuera de la oficina, Andrea releyó el papel; tuvo la intención de estrujarlo y tirarlo al suelo, pero en un esfuerzo por ser realista, lo dobló cuidadosamente y lo volvió a guardar en el sobre. Entonces sonrió, en verdad, había ganado la partida. Pero, ¿quién le devolvería la tranquilidad familiar o la buena reputación en el vecindario? A sus padres ella los había puesto al corriente de todo desde el comienzo, y los vecinos fueron involucrados a la fuerza en el escándalo porque una comisión de la Escuela tocó a la puerta del responsable del Comité de Defensa de su cuadra para hacer verificaciones sobre la conducta de Andrea. De esta manera, los vecinos, enterados de las acusaciones que pendían sobre ella, empezaron a verle rasgos y gestos que jamás habían notado.

Tampoco le faltaron a Andrea las miradas y los acercamientos de hombres curiosos, quienes se creían en el deber de enseñarle a la muchacha lo que un hombre podía hacerle sentir a una mujer. Santos era un profesor de la Escuela con fama de mujeriego y antiguo cazador de homosexuales. Era escritor de una sola obra pero estaba muy entregado a la Revolución; casado, con dos hijos pequeños, pero irremediablemente atraído por los traseros de sus alumnas, tenía fama de mala persona, de pervertido sexual, de enredador, de mitómano, en fin, se le consideraba popularmente todo un asco. De edad madura y atraído por el chisme, se acercó a Andrea de la forma en que solía relacionarse con su alumnos: invitándose por cuenta propia a comer o a tomarse un trago, a costo de sus discípulos.

Una tarde en que almorzaban en un restaurante italiano, Andrea le propuso a Santos ir a la cama, convencida de que él contaría, más adelante, toda la experiencia. Así podría librarse de la agresividad que a diario recibía sobre su persona, traducida en miradas hirientes, frases fuera de lugar, desprecios... Al oír la proposición, a Santos se le atragantó la comida, pero luego de tomar un poco de agua y limpiarse los bigotes con la servilleta, aceptó convencido de poseer una virilidad muy atrayente. Ya en la cama, Santos se llevó una enorme sorpresa: Andrea era virgen. Para el profesor, a quien le encantaba hablar de sexo hasta en clase, las mujeres lesbianas lo eran porque después de tener muchos hombres buscaban otros placeres diferentes; aunque a la larga, ellas nunca podían prescindir del falo que ostentosamente poseían los hombres. Andrea conocía muy bien toda esta teoría explicada por aquel mamut durante las tardes en que le encantaba contar sus experiencias personales a sus discípulos. Así que de la cama, «Santos el experimentado», salió muy confundido y ella muy divertida.

Andrea se detuvo para respirar, pero el rostro demacrado de Marta la hizo parar aquella historia interminable ya que contarla, a la larga, no le hacía bien ni a ella ni a su amiga. Ambas salieron de su concentración, prestando atención a las conversaciones de las gentes que caminaban por las calles y a los gritos con que la vecina de al lado llamaba a su hijo de nueve años, quien seguramente andaba con la pandilla del barrio. Entonces se dieron cuenta de que estaban de nuevo desnudas y sintieron un toque de vergüenza, hasta el extremo de disputarse muy suavemente las puntas del mantel, necesitadas las dos de cubrirse el cuerpo. Y cuando cayó la noche, no volvieron a escuchar nunca más el devenir de Fredesbinda y Caridad por el cuarto, de donde el paraíso, sin duda, había sido expulsado.

V

Marta, desde que estudiaba en La Habana, era para su familia como un abanico cerrado que en una línea breve contiene replegado todo el esplendor de su dibujo. Y los padres comenzaban a preguntarse cuántos nuevos secretos guardaba su hija en aquel interior que ya no les era dado a disfrutar extendido y sin dobleces, como cuando de niña la veían reír a plenitud, motivada por alguna comedia nueva de Louis de Funes.

Pero el aviso que dio Alfredo a los padres de Marta puso punto final a la paciencia de la familia. Todos sus integrantes hasta el momento, trataron de manejar el silencio de la joven con cierta flexibilidad, tratando de no alejarla más de ellos. Ahora, el hecho de que desapareciera de la beca por unos días lo consideraban verdaderamente alarmante.

Ofelia cerró la puerta del cuarto de Marta con suavidad, tratando de que nadie en la casa se enterara de que ella tendría una conversación muy seria con su hija. Marta acababa de llegar a Pinar del Río y sabía perfectamente lo que le esperaba. Como conocía los métodos de su madre, estaba en guardia, esperando su entrada a la habitación de un momento a otro, y trataba de calmarse sacando sus ropas del maletín.

Ya adentro, Ofelia miró gravemente a Marta para lanzarle el discurso que de memoria sabía su hija. Empezó por recordarle el sacrificio que representaba para los padres la crianza de un hijo, el respeto que ella les debía a ellos por ser quienes le habían dado la vida. En este punto Marta siempre bajaba la cabeza, al no comprender por qué decidieron fabricarla si ella nunca lo pidió. «Hubiese sido mejor continuar siendo una gota del mar o una semilla de amapola que integradas al universo, no piensan, no sienten», se decía cuando los sufrimientos le desajustaban el entusiasmo. Y así, mientras reflexionaba sobre las palabras trilladas de su madre, su mente huyó del cuarto y fue a caer en un sitio cálido y agradable: Andrea.

En la medida en que Ofelia fue tornando su monólogo más concreto, Marta se perdió, distraídamente, entre los vericuetos de su mente. Ahora veía a Andrea sentada en el banco del parque donde solía esperarla algún que otro día, con el rostro distraído a causa del vuelo de las palomas o con la mirada penetrante de sus ojos azules puesta sobre las páginas de cualquier libro que parecía, en manos de ella, el más interesante del mundo. Pero cuando se sonrió, asaltada por el recuerdo de aquella noche en que conoció a su amiga, la madre se calló de un tirón. Esperó unos segundos, y al comprobar que su hija estaba totalmente ausente, sintió tanta ira que no pudo contener el impulso de su mano derecha y le dio un bofetón que retumbó en los oídos de Marta y le hizo girar bruscamente la cabeza, estremeciéndola completamente.

El impacto dejó petrificada a Marta, sólo dos lágrimas largas e involuntarias rodaron por su cara. Estaba tan aturdida que ni veía bien a su madre. Ofelia no le dio tregua, y aprovechando su ventaja, empezó inquisidoramente a tirarle en cara la ruptura de su compromiso con Alfredo; y más en esta ocasión, cuando el muchacho sólo pretendía alejarla de malas compañías.

—Dime con quién andas y te diré quién eres —sentenció Ofelia, para agregar después—. No que te acerques más al grupito ese de teatro, si no quieres que tu padre y yo te saquemos de la escuela.

Marta se pasó la mano por su mejilla, en tanto su madre salía del cuarto con aire duro y triunfal, sin darse cuenta de que jamás podría dominar el interior de su hija. Ésta se sentó en la cama, resuelta a no regresar más a su casa, pero su pensamiento se disolvió cuando sintió que daban unos toquecitos en la puerta de su cuarto. Esperó cautelosa, sin moverse, entonces vio abrirse la puerta muy despacio, luego alguien fue asomando la cabeza, hasta que la muchacha se dio cuenta de que se trataba de su papá, quien venía con una expresión cohibida y temerosa.

Renato le sonrió y ella no pudo menos que devolverle su amabilidad con un intento de sonrisa. El padre se sentó junto a su hija y le pasó el brazo por encima de los hombros, diciéndole bajito:

—Nos preocupaste. —Marta apoyó su cabeza en Renato, mientras le escuchaba atentamente—. No le hagas caso a tu madre que es muy burra. Y no te preocupes por Alfredo que yo mismo voy a hablar con él. Cuando yo era joven, si una mujer me decía que no, yo la dejaba tranquila y me iba a buscar otra.

Una noche, Marta esperó a Alfredo hasta muy tarde, escondida entre unos arbustos que estaban justo en la esquina de la casa del joven. Permaneció tres horas con un machete en la mano, aguardando por el muchacho que una vez fue su novio y que ahora se dedicaba a desprestigiarla por todo Pinar del Río.

Furiosa, continuó alimentando su ira durante la espera, recordando una y otra vez la humillación tan terrible que había sufrido en la mañana, a causa de la lengua vengativa de Alfredo. Ya la joven ni podía pasar tranquila por la bodega de la esquina de su casa sin que dos borrachos sucios y desdentados empezaran, a toda voz, una discusión sobre si Marta prefería plátanos o papayas. Algunas viejas arrugadas de la cuadra viraban la cara cuando la joven las saludaba, y se quedaban comentando a cuál de ellas Marta le había clavado la mirada en las tetas o en la transparencia de sus faldas, como si la muchacha les codiciara su fealdad y ellas se sintieran ofendidas y acechadas por aquella niña que, aunque ya crecida, todas habían visto nacer. Pero el colmo fue el reclamo que le hizo en la mañana su amiga Loli, con la cual había estudiado desde la primaria y ahora, en plena calle, llorando, la recriminó por engañarla toda la vida. Loli no quiso escuchar la explicación desesperada de Marta, quien trataba de hacerle entender que ella nunca creyó posible el poder enamorarse de otra mujer, pero que le había pasado y no estaba dispuesta a sacrificar su felicidad. Marta sólo logró en su intento por comunicarse con su mejor amiga que ésta se virara y le diera un bofetón, insignificante para la mejilla pero doloroso para el alma.

Ofelia no cesaba de demostrarle su desprecio, y le recordaba a toda hora lo repugnante que le parecía la intimidad entre dos mujeres, al punto de separarle en exclusividad unos cubiertos, dos platos y un vaso, como si se tratara de una enferma contagiosa. Por estas humillaciones y en especial por perder la amistad de su amiga Loli, Marta creía tener suficiente razón para esperar a su ex novio Alfredo con un machete en la mano y el más feroz de los odios en la mirada.

Marta y sus hermanos estaban criados con ñame y malanga, como decía la familia de Renato para justificar la descomunal fuerza de sus hijos. Todos eran saludables, altos, delgados y famosos por la fortaleza de sus manos. Y Marta, la única niña de la familia, estaba acostumbrada a pelearse con sus hermanos de igual a igual.

Alfredo también era un joven alto y fuerte, pero Marta sabía que si lo atacaba por sorpresa podía arrancarle la cabeza de un solo machetazo. Hasta el momento, ni los consejos y amenazas de Renato habían logrado cerrar la boca de Alfredo. Claro que el padre de Marta ni se imaginaba todas las humillaciones a las que el galán despechado expuso a su hija con sus comentarios; sólo conocía de los conflictos familiares y no sabía el alcance popular de la lengua del muchacho. Pero Marta no quería que ningún varón de la familia se buscara más problemas por ella, por eso decidió no dar quejas y enfrentarse a Alfredo sola.

Justo a las once de la noche lo vio acercándose a la esquina donde ella estaba escondida. Venía acompañado, pero la oscuridad no dejaba a Marta ver de quién se trataba. Por la estatura y la manera de desplazarse, la joven reconoció al instante que se trataba de una mujer. Nada de esto la intimidó, contuvo la respiración y levantó el machete. Aguardaba el momento exacto para salir de entre los arbustos y acabar con Alfredo de una vez.

Los segundos se le volvieron siglos, en tanto las pisadas de Alfredo y su acompañante se oían cada vez más cerca. Le empezaron a sudar las manos copiosamente, pero continuaba sosteniendo con firmeza el machete que con tanto cuidado había afilado durante la tarde. Ya Alfredo estaba cerca, muy cerca, venía distraído, riéndose con su amiga. «Ahora», se dijo Marta y salió de los arbustos, subiendo más el machete para que cayera con una fuerza mayor. De pronto oyó un grito de mujer que, en su histeria, repetía su nombre una y otra vez. La voz le fue tan familiar que detuvo su brazo, en fracciones de segundos, propinándole tan sólo un rasguño a Alfredo en la oreja derecha. El joven se llevó las manos a la cortada como si lo hubiesen matado y empezó a llorar, acusando a Marta de haberle desfigurado el rostro. Pero la sorpresa de ésta fue grande cuando se percató de que la acompañante de Alfredo era su amiga Loli, la cual se abalanzó sobre el joven llamándolo «mi amor, mi niño, mi cielo...». Marta nunca había sabido que a Loli le gustase Alfredo; entonces, aún con el machete en la mano, empezó a reírse, señalando a los jóvenes con burla. Loli y Alfredo se quedaron sin habla, perplejos ante la reacción de Marta.

—Olvídate de que existo, por tu bien —le dijo Marta mirando al joven fijamente.

Alfredo no la denunció por aquel rasguño, pero decidió no comentar más sobre aquella loca que era capaz hasta de matarlo. Mas el daño ya estaba hecho en el pueblo y Marta no volvió a tener paz ni en su casa, ni en Pinar del Río.

VI

Con el tiempo, la aceptación o no de los demás perdió valor para Marta. Simplemente optó por mantenerse replegada durante el día, aguardando la llegada de la noche para expandirse y revolotear como los abanicos que la abuela Ángela batía, orgullosa, en sus bailes de juventud al tratar de alejar el fogaje que en su pecho provocaban tantos pretendientes. «El alma del abanico son las manos», solía afirmar la abuela cuando sacaba de sus cajas viejas aquellas reliquias que tantas veces le aliviaron el calor, unas de marfil, otras de madera con tela, y sus preferidas, las de fino sándalo. Y así, con el cuerpo desnudo y abierto, Marta caía, como nunca su abuela imaginó que una mujer era capaz, noche tras noche, en el camastro de Cleopatra junto a su amiga Andrea, olvidándose por unas horas de la Escuela de Arquitectura o del pesar que sentía cuando sabía que no podía dejar de ir a Pinar del Río el próximo fin de semana.

Marta se había adaptado muy bien a la vida de La Habana y, como ya no estaba tan compenetrada con su familia, decidió resolver su economía sin depender de sus padres. Empezó empleando los miércoles en comprar varios pasajes en la terminal de ómnibus a precio regular, para lo que tenía que hacer una enorme cola; luego esperaba al día anterior en que estaban fechados los pasajes y los ofertaba a un precio cien veces mayor del original. Cuando tenía un dinero más o menos considerable, compraba dólares ilegalmente, iba a la tienda de los extranjeros y, analizando muy bien los precios, se llevaba algunos jabones baratos que luego revendía en la zona rural de Pinar del Río, donde a los campesinos se les dificultaba enormemente conseguirlos. Marta fue incrementando su capital hasta que decidió, en combinación con René, conseguir en el mercado negro los materiales necesarios para cocinar pizzas en la casa del actor, pizzas que luego ella se llevaba a Centro Habana y vendía escondida en las esquinas. Nunca tuvo problemas con la policía, es más, de vez en cuando le regalaba una pizza a Leonel, el agente que cuidaba la zona donde ella operaba.

Por lo demás, Marta encontraba el tiempo para estudiar, ir a clases y amar. El dinero que ganaba y la bicicleta china que tenía, le servían para trasladarse rápido por toda la ciudad y así poder cumplir con sus obligaciones. Por su parte, los profesores de la Escuela de Arquitectura, como todos los del sistema de enseñanza, se volvieron en ese período más flexibles con la asistencia y la puntualidad, gracias a la crisis que vivía el país.

Aunque las humillaciones que recibía y los comentarios que hacían sobre su persona en Pinar del Río le molestaban, Marta estaba bastante a salvo de la situación porque hacía su vida, realmente, en La Habana. Sin embargo, algunas veces, el rostro de la joven podía estar empañado, sin que sus amigos pudieran explicarlo. Sólo ella sabía que la raíz de su preocupación era Andrea.

Ya estaba acercándose el día en que el grupo de teatro debía ir a Cienfuegos y, en la medida en que se aproximaba la fecha, Andrea se ponía más y más nerviosa. Marta se dolía al ver que su amiga brincaba y temblaba hasta al recibir una caricia suave y cuidadosa de sus manos. Y para colmo, un sábado atrás se habían encontrado en La Rampa con el ex novio de Marta acompañado por Loli. Alfredo ni las miró, pero aquella volteó la cabeza, observó a Andrea con desprecio y luego frotó provocativamente las palmas de sus manos, como para ofender a su víctima, pensando que ésta le seguiría su juego de provocación. Las muchachas siguieron su camino sin hacerle caso. Sólo que Marta se guardó como propia la provocación.

Lo que no alcanzaba a entender era el horrible temor de Andrea al viaje hasta Cienfuegos; por mucho que ella le explicaba sus intuiciones, a Marta le parecía algo fomentado en la mente de su amiga como un delirio, sobre todo cuando se puso a observar los momentos ausentes de Andrea. Podían estar frente a frente y de pronto Andrea desviaba su pensamiento hacia otro mundo. Lo peor fue que un día, luego de insistir Marta una y otra vez para que Andrea le confesara por qué se distraía de esa manera, la joven accedió a contar la verdad: sentía que le cortaban en pedazos su propia carne. Según Andrea, cuando ella se ponía nerviosa, se veía en el medioevo, asediada por inquisidores que terminaban abriéndole la piel con cuchillos enormes y puntiagudos.

Marta no pidió más explicaciones, pero convencida de que Andrea estaba medio loca, decidió acompañarla a Cienfuegos. La quería con toda su alma y no podía permitir que sufriera de esa manera tan irracional, y menos, lejos de su protección.

Cienfuegos es una ciudad preciosa, acogedora, que conserva en su centro una verdadera muestra de la arquitectura colonial cubana. Por lo menos así le pareció a Marta cuando asomó su vista por la ventanilla del autobús donde viajaba el grupo de teatro, pretendiendo beberse de un sorbo el colorido de las calles cienfuegueras. La joven se puso muy excitada al empezar a reconocer tantísimos rincones de la ciudad, aprendidos mediante las ilustraciones de algunos libros de texto de su Facultad. Se viró hacia Andrea, en un intento de trasmitirle sus emociones, pero observó a su amiga, encogida y temerosa, tratando de fundirse con el asiento. Prefirió, entonces, guardar silencio. Para Andrea, la llamada Perla del Sur era también desconocida, pero su estado de ánimo no le permitía ni asomar la nariz en busca de nuevas impresiones. Marta volvió a mirar hacia afuera y, sin pretender contenerse, abrió sus pulmones, respirando profundamente el aire de Cienfuegos.

Los estaban esperando en el hotel con una amabilidad inusual en esos tiempos. Allí se encontraron con otros dos pequeños grupos teatrales, que también estaban invitados a dar funciones y a intercambiar criterios y opiniones. Se trataba de un evento modesto conformado por teatristas jóvenes del país. Andrea se sintió en confianza y logró relajarse poco a poco, para alivio de Marta y de todos sus compañeros.

Por fin llegó el momento de presentar *La reliquia,* un espectáculo callejero escrito por Andrea y dirigido por Clara. Solían exhibirlo en el bulevar principal de las capitales, ubicado siempre en el centro de las diferentes ciudades de la Isla.

La reliquia era una obra fascinante para los actores, por el intercambio tan especial que se producía con el público. La obra se iniciaba con los tres protagónicos paseándose por el bulevar con atuendos muy estrafalarios, lo que llamaba la atención de los transeúntes. La actriz que realizaba el personaje de La Abuela era maestra atrayendo público: llegaba, incluso, a pedir cigarros a las gentes o a recriminarle a cualquier hombre el que la hubiera abandonado con cinco hijos, provocando con sus escándalos que la rodearan los presentes, quienes siempre pensaban que se trataba de una loca porque llevaba puesto un collar de latas de leche condensada ensartadas con una soga, la cabeza con unos rolos enormes y un batón largo hasta el piso.

Cuando los tres personajes principales tenían concentrado un número significativo de público, llegaban otros actores con un vestuario uniformado que, como una brigada de acción rápida, forzaban a los protagónicos a ir hacia el lugar donde propiamente transcurriría la representación. Entonces el público, picado por la curiosidad, seguía a la caravana de teatristas y de esta manera, ubicado ya en el sitio adecuado, se paraba a ver el espectáculo.

Andrea y Clara solían mezclarse con las gentes para evitarles cualquier problema a los actores. En esta ocasión, cuando llegaron los comodines policías, e intentaron llevarse a La Abuela a la fuerza, dos hombres del público trataron de golpear a «aquellos abusadores que se llevaban a una loca, de una manera tan bruta». Clara tuvo que correr y explicar por lo bajo a los dos transeúntes que se trataba de una obra de teatro. Los individuos se rieron y dejaron que los actores hicieran su trabajo.

Pero cuando ya la obra llevaba un tiempo comenzada, se le acercó a Andrea una joven que desde la llegada del grupo se había identificado como dirigente de la Unión de Jóvenes Comunistas y encargada de atender a los teatristas en su visita a Cienfuegos. La muchacha venía acompañada por otro joven que fungía como «el compañero del Ministerio del Interior que atendía los asuntos de cultura en Cienfuegos». Ambos querían que Andrea explicara al público, luego de terminado el espectáculo, que se trataba de una obra teatral y no de un acto subversivo como andaban comentando las gentes.

Andrea se negó a aclarar lo que consideraba obvio, dio media vuelta y aprovechó el momento de retirada de la troupe que, ocultándose debajo de un telón gigantesco, salía del lugar prefigurando con la tela una inmensa serpiente negra dentro de la cual también salió ella.

Al llegar al otro extremo del bulevar, los estaba esperando el ómnibus que debía regresarlos al hotel. Subieron empapados de sudor, cansados pero eufóricos después de una función que reclamaba tanta energía. Estaban satisfechos con la reacción del público y, mientras el chofer arrancaba el vehículo e iniciaba el regreso, empezaron a contarse las emociones aprendidas con las gentes.

El intercambio de experiencias hacía reír tanto a los del grupo de Andrea como a los actores de los otros grupos que les acompañaban. Entre tanto, el conductor paró en una esquina y recogió a un amigo con el que comenzó a conversar. Así fue transcurriendo el tiempo, hasta que las anécdotas se terminaron y el cansancio aflojó los cuerpos de los teatristas, quienes, molestos por todas las vueltas que daba el chofer dentro de la ciudad, no veían la hora de llegar al hotel.

El director del grupo de Cienfuegos fue hasta la parte delantera del ómnibus para pedirle una explicación al conductor. Éste, con un guiño de medio lado, le confesó que tenía que resolver algunas gestiones personales y de hecho detuvo el ómnibus en una calle principal, abriendo la puerta para que su amigo bajara. El director del grupo, que no quería buscarse problemas con un chofer del Sectorial de Cultura, por si en otra ocasión necesitaba algún favor, regresó a su asiento a pesar de que el ómnibus continuaba detenido esperando al individuo que se acababa de bajar.

Pasaron alrededor de veinte minutos y el transporte no se movía del sitio. Un actor de Andrea, que se caracterizaba por desarrollar inoportunos alardes de fuerza, empezó a gritar a viva voz palabras ofensivas al chofer y a su amigo, manoteando en el aire con un toque de guapería. Al momento y como por arte de magia, se detuvo un carro policía al lado del vehículo.

El vigilante salió de su auto y desde la acera le ordenó al escandaloso que bajara. El mulato alto, fuerte y agresivo se encogió en el asiento con cara de terror. Inmediatamente, una de las actrices, creyendo que defendía a su compañero, conminó al agente para que subiera al ómnibus. El policía subió y volvió a ordenarle al gritón que bajara, pero éste, temeroso, se dejó rodear por las actrices. Al vuelo, el lugar se llenó de perseguidoras y el ómnibus completo fue escoltado hasta la Estación de Policía.

Ya en La Unidad, bajaron del ómnibus el actor vociferante, el director del grupo de Cienfuegos y Andrea. El resto de los teatristas permaneció sentado en el vehículo a las puertas de la Estación.

Tras algunas preguntas de los oficiales de guardia, el director cienfueguero se presentó como responsable de aquel Encuentro de Teatristas. Le invitaron a pasar a una oficina ubicada en el mismo lobby de la Estación, la cual tenía por pared una división de madera y cristal, que permitía ver desde la recepción, e incluso desde la calle, el interior de aquel despacho. Andrea y el gritón se sentaron, pacientemente, en las sillas del recibidor. Los dos permanecían en silencio pero al tanto de lo que ocurría dentro de la oficina, donde un grupo de policías conversaba con el cienfueguero. De pronto, y como para cortarles la respiración, Andrea y el escandaloso actor vieron a los agentes del orden empujando al director teatral de Cienfuegos contra una pared sólida, luego lo zarandearon y lo volvieron a tirar contra el muro, propinándole golpes y volviéndolo a tirar varias veces. Andrea miró al actor que tenía al lado y se dio cuenta de que estaba llorando y temblando. Entonces le salió del alma decirle:

—Cállate y no llores, no llores, c...

Caminó hacia la puerta de la oficina y trató de abrir el picaporte, pero estaba asegurada por dentro. La impotencia la estaba quemando al ver la golpiza y sólo tener como alternativa el poder apoyar sus manos en los cristales y mirar, como si se tratara de una película. De repente, escuchó tras sus espaldas un gran escándalo. Los teatristas que estaban en el ómnibus comenzaban a bajar del vehículo gritando a toda voz, como saben hacer los actores. Ellos también habían alcanzado a ver, desde la acera, aquel espectáculo policial. Y así, aglomerándose frente al cristal, aquellas gentes de teatro fueron incrementando su protesta, provocando que comenzara a llenarse el lugar cada vez más de policías, los cuales empezaron por amenazar y terminaron por soltar bofetones para todo el que los alcanzase. Andrea no olvidará nunca el golpe que llegó a su cara provocándole un dolor infinito en el maxilar superior, allí justo donde tenía, dentro de la boca, las cicatrices de una operación vieja.

Medio aturdida y escuchando más que antes los gritos de Marta, quien no podía creer la situación, Andrea vio cómo sacaron al cienfueguero de la oficina, rojo como un tomate y aguantado por varios agentes. Ya afuera, le quitaron los cordones de los zapatos y el cinto, abrieron una puerta y a pesar de que la esposa de éste se le ató al cuello, los separaron diciendo:

—Uno más al calabozo.

Y en fila, fueron metiendo a los más revoltosos del grupo a la cárcel.

La gente estaba muy callada, a sabiendas de que el momento se iba tornando más y más serio y ya no se escuchaba ningún escándalo. Andrea pidió un cigarro, como solía hacer en los momentos de tensión. Un compañero se lo dio, y empezó a fumar paseándose de un lado a otro, en tanto se le inflaba la cara. Marta no se atrevía ni a acercársele mucho, sólo la observaba a cierta distancia. Tenía ante sí una Andrea desconocida para ella, parecía más bien un erizo, o una fiera con forma humana, o un abanico hermético con las varillas pegadas y rotas que, gracias a nuestra memoria, nos resistimos a botar en la basura, en tanto recordamos lo hermoso y refrescante que era cuando se abría de un solo golpe y sin mucho esfuerzo.

Pero Marta sintió que sus piernas se aflojaban cuando vio a un policía acercase a Andrea, hablarle bajo y llevarla, sin que ésta se resistiera, por otro pasillo que nadie sabía dónde conducía. Marta trató de correr tras ellos, pero otro agente se interpuso en su camino. Ni una mosca se escuchaba en el lobby de la Estación, y los actores no sabían cuál sería el final de aquella aventura.

Andrea transitó por aquel pasillo oscuro con la sensación de que la llevaban al mismísimo infierno. El agente, con amabilidad, le preguntó:

—¿Tienes miedo?

Andrea, restándole importancia a la pregunta, dijo:

—No.

Y siguió andando con paso firme pero con el corazón repleto de terror. Tal vez fue muy corto el recorrido. Sin embargo, para Andrea el pasillo no tenía fin. Era increíble como ahora, cuando la estaban tratando bien, sentía el miedo que no le fue dado durante los instantes de violencia.

A sabiendas de que era observada por el policía que la acompañaba, Andrea trató de dominar las señales externas de su cuerpo para ocultar su pánico interno. Al final del túnel, toparon con una puerta que el agente abrió, invitando a la joven a pasar. Se trataba de otra oficina pequeña, sin ventanas, con una luz amarillenta, un buró y varias sillas donde estaban sentados unos oficiales que debían ser importantes, por el tamaño de las estrellas que ostentaban en sus charreteras. «Estrellas grandes...», pensó Andrea, tratando de adivinar el rango militar de los oficiales, mientras se sentaba en la silla que le ofrecieron.

El oficial, sentado detrás del buró, parecía el Jefe de aquel grupo de cinco o seis agentes del orden, que por supuesto cuidaron de cerrar la puerta con seguro. Todos los presentes se miraron y finalmente El Jefe, clavando sus ojos en los de Andrea, le preguntó:

—Queremos saber la opinión que usted tiene del trato que le hemos dado aquí en la Estación.

Andrea se tocó con la lengua los dientes que tenía flojos, comprobando la hinchazón palpable que tenía en el rostro, y por un instante pensó en lo que dirían los ortodoncistas que la operaron antaño cuando vieran su obra destruida por un zarpazo.

—Brutal —respondió la joven.

—No, no. Lo que queremos saber es si ustedes nos van a denunciar. Ya sabemos que pertenecen a los Hermanos Saíz... Nosotros podemos acusarlos a ustedes también... al muchacho ese que gritó, de desacato a la autoridad, acuérdate que él es estudiante de la Universidad... a todos los demás, de escándalo público, de desacato, de lo que nos dé la gana. Si ustedes nos denuncian, nosotros los vamos a acusar a todos ustedes. Ahora, si no dicen nada...

Por la mente de Andrea pasó un zoológico completo en dos segundos y al instante supo que no tenía otra salida.

—No los vamos a denunciar —dijo Andrea con tono de seguridad.

—Entonces no hay nada más que hablar —concluyó el Jefe y se levantó, no sin antes extenderle la mano. Ella le devolvió el gesto, y con aquel apretón de manos quedó sellado el pacto de silencio.

VII

En ocasiones, los abanicos revolotean con frivolidad. Todo depende del movimiento que se les impregne: si alguien lo bate majestuoso, la cadencia del abanico se vuelve elegante; pero si lo deslizan, de arriba abajo, con la picardía de cubrir un cuerpo desnudo, la intención es sensual y provocativa. Eso sí, de moverse un abanico con un impulso descerebrado, nos recordará el movimiento, simple y aturdido, de una gallina al correr por el gallinero, o la cadena de gesticulaciones creadas por las manazas del gritón que desencadenó los sucesos de Cienfuegos.

Al llegar a La Habana, el actor vociferante se reía cuando contaba lo sucedido en la Estación de Policía de Cienfuegos. Para él, la experiencia no era más que otro escándalo de solar. Algunos de los actores le secundaban a coro, burlándose ahora de quien gritó, de quien lloró, o de la forma cómica en que Andrea llegaba a la ira. Ésta, al fondo del lunetario de la sala teatral, escuchaba preocupada a sus compañeros, consciente de que el problema no estaba terminado. En tanto, Clara y René, sentados a ambos lados de ella, analizaban las posibles consecuencias del hecho, llegando a la conclusión de que no les quedaba más remedio que esperar por el verdadero desenlace.

Marta se presentó de improviso al ensayo aquella tarde en que Andrea recibió la comunicación de que La Doña, directora del Teatro en Cuba, quería verla. En realidad Marta, que desde el viaje a Cienfuegos había aprendido a valorar los impulsos intuitivos de su corazón, entró al teatro movida por un mal presentimiento. En efecto, al llegar, recibió la mirada preocupada de Andrea, quien se disponía a acudir a la cita. Las amantes se abrazaron en presencia del grupo y acordaron, al momento, que irían juntas hasta la puerta de la casa de La Doña; mientras, los actores y Clara continuarían el ensayo.

La Doña abrió la puerta y sonrió amable, al tiempo que le indicaba a Andrea uno de los sillones. Luego de acomodarse las dos, los balances empezaron a tomar el ritmo de la conversación.

—Me lo contaron todo. Te mandé a llamar porque si no hacemos algo, la policía va a acabar con todo el mundo.

Así comenzó La Doña, poniendo énfasis en sus palabras, tal como lo hizo alguna vez en medio de sus actuaciones. Andrea se detuvo unos segundos antes de responderle, para contemplar la belleza de antaño en aquel rostro altivo.

—Conmigo están acabando hace rato.

—No sé qué más quieres, si hasta te permití ensayar en la Casa de Teatro Habana. Y nunca te boté de la puerta de mi oficina cuando ibas todos los jueves a pedirme que te aprobara el proyecto de tu grupo de teatro. Finalmente lo aprobé, ¿no? Tú debías tener claro que si estuvieras en Rusia ya te hubieran fusilado.

Andrea siempre tenía que reírse de las ocurrencias de La Doña; incluso le vino a la mente el día en que entró a la Casona de Teatro Habana para encontrarse, entusiasta, con el cuarto que La Doña le había prestado para ensayar. Al llegar a la pequeña habitación, se encontró con una cantidad tal de vestuario tirado en el suelo, que parecía imposible la entrada. Pero Andrea no tenía otra opción, necesitaba el espacio para el grupo, y sola penetró en aquel mar de tela donde las ropas le daban a mitad de pierna, sintiéndose como Hércules cuando tuvo que limpiar los establos. Aquel vestuario se hallaba en pésimas condiciones, muchas de las piezas estaban impregnadas de moho; además, el polvo y el mal olor eran insoportables. Andrea quiso limpiarlo todo sin la ayuda del grupo, porque estaba harta de las quejas. En fin, fue recogiendo los vestidos y trasladándolos hasta un cuartico pequeño, al lado. Cuando terminó, a pesar del cansancio y del polvo que tenía encima, decidió regresar a las oficinas de La Doña para indicarle que ya tenía todo dispuesto. Sin embargo, se encontró con La Doña en la puerta del edificio, y su sorpresa fue enorme cuando aquella mujer diez veces más alta que ella le gritó en plena calle:

—¡Te voy a mataaaar! ¡Ya me llamaron para decirme que acabaste con el vestuario!

Andrea se llenó de ira:

—¡Y yo te voy a matar a ti! ¡Vergüenza te debe de dar el estado en que tienes el vestuario de tu grupo!

Las dos se miraron por breves instantes y no les quedó más remedio que echarse a reír. Era evidente que La Doña le ofreció el cuarto pensando en que no lo aceptaría, pero a esas alturas la actriz, devenida funcionaria, ya no sabía cómo frenar a Andrea y ésta se quedó con el cuarto para los ensayos. El privilegio duró dos meses, hasta que La Doña dejó de dirigir Teatro Habana y los nuevos directores los botaron sin piedad. Volvieron a quedarse Andrea y su grupo sin local de ensayo hasta que más tarde les permitieron entrar al entonces abandonado Teatro de Varietés.

Ahora, en la casa de La Doña, Andrea volvió a sonreír, reconociendo que en realidad la Directora del Teatro en Cuba sentía simpatía por ella, pero estaba perdida entre las presiones de su cargo.

—Estamos en Cuba y no en Rusia, no se puede comparar.

—Tú debías denunciar a la policía, eso es un atropello. Si los dejamos que vayan por ese camino... terminarán como la policía de Batista. El otro día una de mis alumnas también tuvo un problema desagradable.

—En un juicio, la palabra de ellos tendrá más autoridad que la mía. Y la perjudicada voy a ser yo. No los voy a acusar —respondió de inmediato Andrea, convencida de que no se dejaría manipular por La Doña quien, en definitiva, estaba respondiendo a los intereses de otros más poderosos que ella. A esas alturas, para nadie era desconocida la caída del Ministro del Interior de turno y las pugnas que esto había provocado dentro de ese organismo.

Así llegó la noche, sin que La Doña lograra convencer a Andrea de que acusara a la policía de Cienfuegos. Finalmente, la joven, tras el agotamiento de la Directora del Consejo de las Artes Escénicas pudo salir de la casa, sin comprometerse con la denuncia. Afuera, Marta, con los nervios de punta, se mantenía en espera. Al verse, se tomaron de las manos y caminaron rápido por la acera, tratando de alejarse del lugar, como alguien que se aleja de una pesadilla.

Andrea y Marta querían llegar cuanto antes al cuarto del solar: era el único lugar donde se sentían a salvo. Iban a pie, con hambre y sed. Marta sintió la respiración de

Andrea cada vez más acelerada a medida que contaba, punto por punto, la conversación que sostuvo con La Doña. Tuvo miedo de que su amiga se desmayara en cualquier momento y decidió sujetarla por el brazo. La noche era cerrada, un apagón generalizado tenía en la total oscuridad una buena parte de la Ciudad de La Habana; la gente caminaba por las calles evitando los portales oscuros, donde los delincuentes solían sorprender a sus víctimas; y por el pavimento un enjambre de bicicletas pasaba con apuro, tratando de evitar a los peatones y los charcos de agua acumulada en los enormes huecos de la calles por el torrencial aguacero de la noche anterior.

Andrea tropezó y casi se cae de frente; Marta decidió enlazarla por la cintura para evitarle un accidente. De repente, en una esquina, alguien vendía pedazos de melón, y sin pensarlo dos veces, a pesar de la oscuridad, se detuvo para comprar dos porciones. Cada una le costó diez pesos, pero era necesario sobrevivir. Ya estaban cerca del Paseo del Prado: la caminata desde El Vedado, más la tensión por la reunión en la casa de La Doña, tenía exhaustas a las jóvenes. Marta invitó a Andrea a sentarse en el contén y allí, en silencio, devoraron la fruta con avidez, arrojando las semillas al mismísimo medio de la calle.

Cuando las amantes daban los mordiscos finales al pedazo de la fruta, un ruido, como un poderoso trueno caído del cielo, las hizo levantarse de un tirón. Todos a su alrededor se pusieron alerta, una enorme nube de polvo cubrió el ambiente y algunas gentes empezaron a toser. Andrea llegó a creer que se trababa de un bombardeo, tal vez norteamericano, y empezó a darle credibilidad, en su mente, al discurso oficial que, desde su niñez, ponía en primer plano un posible ataque bélico del imperialismo yanki sobre la Isla. «Y eso que nadie se creía el cuento de la guerra», se dijo la joven, en tanto viró su cara y observó que Marta estaba como perpleja. Al cabo de unos segundos, la estudiante de Arquitectura, con un aplomo total, atinó a explicarle a su amiga:

—Se acaba de caer un edificio. Es el mismo ruido y el mismo polvo que se forma en las demoliciones. Yo sabía que tanta lluvia...

Y, al instante, vieron cruzar tres ambulancias, un camión de bomberos y varios carros de la policía; todos con las alarmas encendidas. Andrea y Marta se entendieron con una simple mirada y, al mismo tiempo, salieron las dos corriendo en dirección al Prado. Ya no les importaba el cansancio, ni los problemas de Andrea por querer expresarse en un país donde, fuera de lo establecido, cuesta dolor, incertidumbre y aislamiento, el poder opinar. En medio de una avalancha de gentes que, alarmadas, salieron a las calles formando una concentración, las muchachas ganaron la esquina de Consulado y Virtudes. Quisieron seguir, pero ya la policía comenzaba a formar un cerco de seguridad.

Marta indagó entre los policías y las gentes, mientras Andrea se paraba como una estaca en la acera, segura de que no soportaría otro golpe del destino; ya ni quería saber, ni oír... Marta le trajo la noticia temida en medio de la confusión que reinaba en el barrio.

—Pero estamos vivas, Andrea. Si La Doña no te hubiese citado, a estas horas estaríamos bajo los escombros... Piensa, reacciona. No importa la casa, ni las cosas... Todo se recupera... ya verás.

—¿Hay muertos? ¿Sabes si hay muertos? —preguntó Andrea entre temblores.

—No sé, ni la policía lo puede saber todavía...

Y Marta, para tratar de calmar a Andrea, la guió por todo el Paseo del Prado hasta el Malecón, en busca del aire refrescante del mar. Anduvieron largo rato por la costa, tratando de alejarse del tumulto de gentes que corrían hasta el lugar del desplome en busca de noticias sobre sus familiares. Las jóvenes vagaron siguiendo el litoral. Andrea no salía del impacto, no dejaba de mencionar los nombres de sus vecinos, aquellos que saludaba día a día... Marta, tratando de desviarle el pensamiento, trató de ubicarla en su realidad personal:

—¿Tienes idea de dónde pasaremos la noche?

Andrea se encogió de hombros. Poco a poco se dieron cuenta de que no sabían cómo reorganizar sus vidas. Se negaban a ir a los albergues que el gobierno preparaba para tales casos, reconociendo que no podrían soportar la promiscuidad; tal vez buscarían algún cuarto para alquilar pues las gentes los rentaban sólo por dólares, Marta estaba convencida de que sus negocios les darían para encontrar cierto huequito en este mundo. El dinero lo tenían guardado en la casa de René y de alguna manera les alcanzaría para comenzar de nuevo, comprase alguna ropa, comer... Pero aun así, Andrea recordaba, de cuando en cuando, a los posibles muertos. A la mañana siguiente habría que volver al lugar de la catástrofe para averiguar.

—¡Qué horror! —decía Andrea una y otra vez.

A lo que Marta respondía sin cesar:

—Tenemos que darle gracias a Dios por estar vivas.

Después de mucho andar, Andrea recordó su obra a medio terminar, su máquina de escribir, sus libros destruidos bajo los escombros, y se sorprendió al comprobar que el teatro ya no era lo más importante en su vida, tanto, que ya no sabía si quería continuar dirigiendo el grupo o no. Pararon justo al fondo del Hotel Nacional, donde encontraron iluminación eléctrica, y decidiendo obviar a varias adolescentes que trataban de parar a cuanto extranjero veían pasar, se sentaron en el muro, en silencio, formulando en sus mentes, durante toda la madrugada, el proyecto de salir del país para no regresar jamás.

VIII

Para esa fecha, Andrea era un abanico estirado más allá de sus resortes, con las cintas y las varillas destrozadas. Pero ella aún desconocía que el verdadero ensañamiento es el carente de fin, el que puede llegar a matar un pedazo de la belleza del mundo, aunque se trate de un sencillo abanico que estorba.

Un día, salió publicado en el diario nacional un artículo que anunciaba el próximo Festival de Teatro Internacional de La Habana. De la muestra cubana anunciaban sólo dos obras que participarían; una de ellas era *Noche de ronda,* escrita y dirigida por Andrea. La noticia cayó como una onza de oro entre los integrantes del grupo. Aquella mañana parecía que el ensayo se había convertido en fiesta. *Noche de ronda* fue concebida como espectáculo de Teatro Arena, tenía un músico en vivo que realizaba diversos sonidos de percusión, y aunque sufrían el inconveniente de que venía, a menudo, con tragos de más, razón por la que se levantaba varias veces para ir al baño ocasionando que Andrea corriera a sustituirlo en su trabajo, la puesta salía triunfante.

Por aquellos días, algunas funciones teatrales se empezaron a realizar en horas de la tarde, justo en espacios que recibían la luz del día, debido a la carencia de energía eléctrica en el país. Como el público apenas podía optar por la televisión o el cine, se llenaban aún más las salas teatrales de La Habana. Ése fue el caso de *Noche de ronda,* presentada durante varios fines de semana en un salón ubicado en la calle Línea, de El Vedado. Éste tenía grandes puertas de cristal que permanecían abiertas durante toda la representación para aliviar del calor del clima y de la buena cantidad de público concentrado en el espacio.

Andrea prefirió las funciones durante la tarde porque, casualmente, meses atrás, cada vez que su grupo anunciaba algún estreno, se iba la luz en el teatro, teniendo que suspender la función y perdiendo parte del público que, entusiasmado, venía a la primera puesta. Leyó y leyó la noticia en el periódico y, verdaderamente, le costaba trabajo creer, sobre todo, que la prensa hubiese destacado la obra. Ir a los Festivales de Teatro, en Cuba, era una de las metas que Andrea siempre lograba: generalmente le posibilitaba formar parte de las muestras alternativas que, colateralmente a la competencia oficial, se permitían en aquellos eventos. «Juntos pero no revueltos» era el lema que primaba en el círculo oficial, para seleccionar la muestra de los Festivales.

Cuando Andrea llegó al cuarto que Marta tenía alquilado para las dos en la calle Línea y Paseo, ya Marta le tenía preparada otra noticia. Para no dársela de sopetón, la joven arquitecta y «negociante de período especial» sonrió al verla llegar, y le ofreció al mismo tiempo un plato con trozos de toronja capaces de refrescar hasta el mismísimo desierto del Sáhara. Se sentaron en el suelo porque ya no tenían ni sillas, ni mesa, ni cama. Dormían sobre una balsa vieja de playa que René les prestó, y que en medio de la noche solía desinflarse, amaneciendo las dos sobre las losas del suelo. Todas las madrugadas Andrea repetía una y otra vez:

—Estamos fracasadas como balseras.

Marta le contestaba como una letanía:

—No se te ocurra nunca, la vida es lo único que no se arriesga.

Andrea, mientras saboreaba la toronja, fue contándole a Marta su extrañeza sobre lo publicado en el diario. Ella la dejó hablar, hasta el punto de que Andrea recuperó, por un instante, la capacidad de soñar.

—Me parece que es un gesto de buena voluntad. Ha entrado gente nueva al Ministerio de Cultura... gente que se graduó después que yo en El Superior de Arte. El grupo está tan contento... el que lo hayan publicado en *Granma* es porque va en serio. Ya no se pueden volver atrás... Era hora de que nos reconocieran —Andrea buscaba desesperadamente los ojos de Marta tratando de encontrar alguna afirmación de su amante, ante un discurso demasiado optimista para aquellos tiempos—. Vamos a poder celebrar por partida doble.

—Hoy arreglé todo para casarme la semana que viene —le dijo Marta con alegría, y Andrea enmudeció—. Después que te fuiste esta mañana, me trajeron a un muchacho que es el ideal.

—¿Estás segura? —murmuró Andrea.

—Sí.

Un silencio se hizo entre las paredes del cuarto de la calle Línea. La habitación era una más de aquella mansión donde vivía la familia González que, como cualquier familia cubana del momento, alquilaba todo el espacio posible de su casa.

—¿Quién me iba a decir que terminaría gustándome la toronja? Me cae bien para la presión y es lo único que viene al mercado... Tú me enseñaste a comer toronja —dijo Andrea observando el plato vacío.

—Son tan dulces —murmuró Marta, en tanto le quitaba el plato de las manos y lo ponía a un lado.

—Dichoso el que no siente ni la amargura de una toronja.

—Hubiese dado la vida porque salieras tú primero, pero todo se ha presentado así. Ojalá pudiésemos salir las dos juntas, pero no se puede. Mi mamá me va a dar parte del dinero. Él se ganó la lotería de visas. Se casa conmigo si le pago todos sus gastos de viaje y, por supuesto, los míos. El total sale como en dos mil dólares. ¿Te imaginas? El peso está a 120 por dólar.

—¿Cómo se ve el «pretendiente»?

—Parece un niña. Vino con una amiguita suya, una jineterita.

Andrea suspiró profundamente.

—Sé que es un plan que decidimos las dos, pero cuando lo veo concretarse se me aflojan las piernas. Me cuesta trabajo asimilar que nos vamos a separar, quién sabe por cuanto tiempo.

—Vas a salir detrás de mí. En cuanto esté trabajando allá, te mando dinero para que te cases con alguien, o quién sabe si te ganas tú la lotería.

Andrea bajó la cabeza llena de dudas, pero sin darle tiempo para más, Marta se le tiró encima riendo y llenándola de besos. Aunque se sonrió para no hacer sentir mal a Marta, sintió que el juego cariñoso de su amiga estremecía su concentración, hasta el punto de sentir en su interior un rechazo por aquel ser que ella tanto amaba, pero que en ese momento la forzaba a dejar su línea de pensamiento, proponiéndole una ligereza ante los problemas trascendentales de la vida que ella, verdaderamente, aborrecía.

Cuando Andrea estaba en medio del cuarto, aplastada por el retozo de Marta, una voz desde afuera les dio un aviso:

—Teléfono para Andrea —gritó uno de los González.

Las jóvenes cesaron de inmediato el juego. Andrea se compuso con las manos las ropas y el pelo; miró a Marta cuestionándose quién sería el intruso que la solicitaba y salió rumbo a la sala de la casa. Mientras tanto, Marta se quedó recogiendo el plato sucio de toronja, y al hacerlo, la mente le trajo la imagen del joven que en la mañana le había propuesto «matrimonio de conveniencia». Por primera vez, admitió en su interior que tenía un miedo atroz, tanto, que se sentía como si estuviese cayendo al vacío.

Andrea regresó preocupada. La estaban llamando para citarla, una hora más tarde, en El Ministerio de Cultura, pues tenía una reunión con un funcionario de relativa importancia al que ella veía con simpatía porque pertenecía a su misma generación; pero era un funcionario, en definitiva, y además, no le anticipó el tema de las conversaciones. Sin pensarlo más, se despidió con prisa de Marta y se lanzó a la calle. Ésta, al verla salir, se persignó, temiendo por la forma en que regresaría su amante.

Andrea entró a la oficina de Mamerto y lo encontró felizmente sentado tras su buró. En realidad, Mamerto se veía hasta un poco más alto en aquella silla y en su carita se percibía ese aire de felicidad superlativa que tienen los rostros de aquellos que alcanzan sus metas. Mamerto le ofreció asiento y se deslizó en su silla giratoria para estar más cerca del buró y poner sus codos sobre la superficie. Cara a cara, y pausadamente, Mamerto le dijo:

—Tuve que llamarte porque *Noche de ronda* no va al Festival.

—¡¡¡¡¿Qué?!!!! —exclamó Andrea, brincando en la silla.

Mamerto se puso feliz al ver la exaltación de la autora y como todo un funcionario profesional, comenzó a revisar papeles, distraídamente, restándole importancia a la presencia de la dramaturga.

—Pero Mamerto, si la obra salió anunciada en el periódico.

—No va al festival, Andrea —respondió Mamerto con una sonrisa apacible.

—Pero, ¿por qué? Dime por qué.

—Los funcionarios de cultura opinan que no puede ir.

—¿Por qué?

—Dicen que no. Y más vale que no insistas, Andrea, porque si nosotros queremos se te puede ir la luz en el teatro... o cualquier otra cosa.

Andrea detalló el rostro de Mamerto y trató de buscar en sus pupilas al estudiante de antes, al compañero de cursos pasados, con quien solía conversar y hacer comentarios de lo que fue El Proceso de Profundización Comunista en el Superior de Arte durante el año 80, cuando a la salida de tantísimos cubanos por el puerto del Mariel, el Partido Comunista hizo una depuración en toda la Universidad, y botaron de las aulas a los homosexuales y también a aquellos alumnos que mantenían relación con parientes exiliados. Ahora rememoraba aquella escena que no olvidarían los testigos pasivos de la época, cuando encontraron en el camino de Artes Escénicas los espejuelos rotos de aquel compañero que hicieron rodar por tierra, después de que descubrieron en sus cuadernos una carta escrita a una tía de Miami. También recordaba la forma en que ella logró escapar de la agresividad de aquellos días, gracias a que el proceso de su aula se realizó justo cuando el Partido Comunista mandó parar, oficialmente, la violencia desatada en el país. Mucho, mucho conversaron Mamerto y Andrea en su época de estudiantes para que ahora él se comportase a la usanza de los viejos funcionarios.

La joven sintió que sobraba en aquella oficina, se levantó y se retiró con el alma destrozada. «Para saber quién es quién, hay que darle poder», se repitió una vez más, mientras se dirigía a su cuarto alquilado de la calle Línea. «Si los nuevos son iguales que los otros, esta isla está perdida.» Y andando, se imaginó la reacción del grupo cuando ella les diera la noticia a la mañana siguiente. «Eres muy floja, tú no sabes discutir. A mí sí que no me pueden hacer eso...» Estos y otros muchos reproches tendría que escuchar y ya estaba harta de ellos.

Marta le abrió la puerta y, al verla, extendió sus brazos. Andrea se refugió, una vez más, en la caverna torácica que incondicionalmente le ofrecía. Pero esta vez permaneció sólo un instante en aquel refugio, separándose de Marta como quien tiene un enorme sobresalto en su interior.

—No demores la boda. Hay que irse, como sea.

IX

Marta recogió en un maletín sus reliquias: fotos de la niñez, libros y aquella cajita de cartón, manchada por el tiempo, donde guardaba, cerrado, el abanico chino, regalo de cumpleaños de la tía Ludgarda. «Anacronismos —pensó Marta—, tal vez, años atrás, alguien soñó con volar, batiendo como alas dos abanicos de plumas, y hoy se viaja tan cómodamente en avión.» En fin, su equipaje estaba lleno de recuerdos, hasta el punto de que ella misma lo encontró pesado. «Me llevo la vida entera en una maleta», reconoció, aunque estuvo renuente a dejar ningún objeto, por ridículo que pareciera.

Afuera del cuarto, como si se tratara de un velorio, la familia aguardaba por la hora en que debían llevarla hasta el aeropuerto. Andrea estaba presente, gracias a la benevolencia de última hora que mostró Ofelia. En realidad, ella estaba feliz por el viaje de su hija. Con él la separaba de Andrea y al mismo tiempo la alejaba de los comentarios del pueblo. Ahora Marta se convertiría en otra de las tantas heroínas imaginadas en la opulencia de los Estados Unidos, desde la miseria de Cuba.

—Café —dijo Ofelia, tendiéndole una taza caliente a Andrea. La joven dudó un instante, mirando a los ojos de la mujer, sin saber cómo negarse. Finalmente, aceptó por decencia.

—Gracias —balbuceó Andrea, llevándose la taza a su boca, ante la mirada sarcástica de Ofelia, quien saboreaba el temor de la joven que tragaba el café como si fuese veneno.

—Está acabadito de hacer y en la cocina tengo más para todo el mundo —murmuró Ofelia, con el aire conciliador que toman los rivales después que logran separar a los amantes.

El resto de la familia levantó la vista esperando por su café. Ofelia recogió la taza de Andrea y regresó por más. Renato se veía callado y preocupado por la partida de su única hija. «Es tan jovencita... y eso de irse sola», se decía en silencio, después de que las gentes lo felicitaran en el pueblo porque su hija tenía la oportunidad de huir de aquel infierno. Nunca Renato confesó su temor, para no ir en contra de la euforia colectiva de tantísimas personas que anhelaban salir del país en busca de la Tierra Prometida que soñaban los del Sur: El Norte. Pero lo cierto es que Renato se moría de tristeza al verla partir.

Los hermanos de Marta, por su parte, le entregaron la noche anterior toda una lista de pedidos: ropas y tenis de marcas, plantillas de sus pies, medidas de sus cinturas, incluyendo, además, las tallas de sus novias.

Andrea no pudo más y corrió hacia el baño. Cerró meticulosamente la puerta y empezó a vomitar el café de Ofelia. Todo le daba vueltas. Se incorporó, sosteniéndose en el lavabo, y se miró al espejo del botiquín. Estaba pálida, herida de muerte, presintiendo el vacío en que la dejaría Marta. Tenían la esperanza de reencontrarse allá, donde dicen que los pájaros vuelan con voluntad propia. Sin embargo, la proximidad de la partida les restregaba una realidad amarga, imaginada, pero no vivida. Andrea observó el cubo plástico lleno de agua que tenían en una esquina del baño y utilizó la mitad del contenido para limpiar su vómito. El baño se quedó con mal olor, pero no había más agua y, como si se tratara de un delito, mojó sus manos en el cubo, y se las pasó por la cabeza, tratando de alejar las tensiones. Finalmente, se llenó de valor y salió para enfrentarse, de nuevo, a la familia de su amante. Al salir, vio a Marta detenida en la sala, maletín en mano y dispuesta a partir.

Todos subieron al camión. El viaje se haría largo por los innumerables huecos de la carretera y el mal estado de las gomas del vehículo. Delante montaron Renato, de chofer, Ofelia y Marta. Andrea se acomodó en la parte trasera, junto al resto de la familia.

La noche era cálida, y en cuanto salió el camión, el aire batió sobre los pasajeros agradablemente. Marta se veía segura, fuerte, como queriendo atrapar con sus ojos la última imagen del lugar en que nació y llevarla grabada en su memoria. Andrea estaba nerviosa y buscando relajarse; se detuvo a observar las carretas tiradas por caballos que llevaban como luz trasera una lámpara casera de keroseno, construida con una lata vieja; todo tipo de vehículo transitaba por la depauperada carretera Ocho Vías, desde un tractor hasta una bicicleta, conformando el espectáculo risible y deprimente de una caravana que parecía andar tras la esperanza perdida.

Por fin llegaron al aeropuerto. Todos acompañaron a Marta hasta donde les fue posible. Ella entregó su maletín, luego los documentos, y finalmente, tuvo que pasar al salón de los pasajeros para desde allí abordar el avión que ya estaba en la pista. La separación fue aturdida. Marta trataba de acelerar el momento, pretextando que se le hacía tarde porque el joven que viajaría con ella ya estaba dentro.

Tal vez Andrea fue la única que tuvo presente el sentido del tiempo, la noción de la verdadera pérdida. Nadie más, ni la propia Marta, fue consciente de que ésta era una separación definitiva. Tal vez vendrían visitas posteriores, reencuentros, pero jamás volverían a convivir como familia. Andrea era la única candidata a sumarse a la aventura de Marta, pero ni la misma Ofelia se daba cuenta.

Marta dijo adiós por última vez y miró a su familia como si quisiera fotografiar el instante de su partida en un breve segundo. Antes de volver el rostro, Marta sonrió al ver a Andrea en medio de sus hermanos: «Toda una familia», pensó. Y sin más demora giró sus pasos hacia el pasillo que la llevaría hasta otro mundo. Andando, el corazón le palpitó y la respiración se le volvió dificultosa por la ansiedad. «¿Qué hago yo aquí y todos mis seres queridos allá? Esto es un disparate», se dijo, en tanto avanzaba hasta la puerta que conducía al marco detector de metales. Parecía que la puerta quisiera encuadrar, de manera perfecta, a toda su familia que continuaba diciendo adiós. Ya en el umbral, se fijó en que Andrea, llevando su mano a la boca, le tiró un beso. «Si digo que no me voy, me van a matar, después de todas las carreras que han dado conmigo y todo el dinero que ha puesto mi mamá.» Entonces, con un nudo en la garganta, encaminó sus pasos hacia lo desconocido.

Desde la terraza del aeropuerto, vieron elevarse el avión. Aún allí, la familia y Andrea continuaban diciéndole adiós a Marta; aferrándose todos a la última imagen del aeroplano perdiéndose entre las nubes, para demorar el regreso a casa y con éste, el comienzo de percibir su ausencia. Sin embargo, llegó el momento inevitable de virarse y enfrentar la realidad: ya ella no le pertenecía a ninguno de los presentes, ahora era la que faltaba de la familia.

Andrea se despidió de la familia de Marta y siguió su camino hacia la ciudad. Cuando estaba algo distante de ellos, escuchó el pleito de los hermanos disputándose el cuarto y la bicicleta de Marta. «El que se va es como el que se muere», se dijo mientras se secaba los mocos y las lágrimas.

Y allá, por el cielo, estaba Marta, preocupada porque no tenía llave alguna que abriese la puerta de un lugar donde descansar. Viajaba por el océano, apretando la cajita que contenía su abanico chino, como tratando de que éste no se abriese y saliera a volar.

Segunda Parte

Miami, donde los abanicos cuelgan de adorno

I

Marta buscó en el closet aquel maletín viejo que trajo de Cuba, sin resultado alguno. Después de virar todas sus pertenencias al revés, sólo encontró, reposado, el abanico chino guardado en su cajita, y murmuró: «Mira lo único que Ligia dejó, después de sus limpiezas de fin de año». El abanico era el último recuerdo que conservaba de la Isla y entonces pensó que, tal vez, debería colgarlo en la pared como adorno, para que Ligia lo respetara y no terminara por botarlo, como hacía con todo lo que consideraba viejo e inservible.

En realidad, ya Marta no se sentía emocionalmente atada al viejo maletín que debió encontrar su muerte rodando por la canal destinada a los desperdicios; sólo que, al recibir el recado de Andrea, Cuba se le agolpó como un montón de cenizas en el cerebro, hasta tupirle el flujo del pensamiento. Hacía dos meses que Marta guardaba en secreto la inminente llegada de Andrea. Pero tenía mucho miedo. Ligia era su compañera de siete años y no encontraba cómo decirle que sentía el deber de cumplir la vieja promesa de ayudar a salir de Cuba a su ex amante Andrea.

«Yo no moví ni un dedo para que Andrea viniese a este país, pero si ahora me pidió dinero... es lo menos que pude hacer por ella.» Así ensayaba Marta su discurso de confesión a Ligia. Pero nada, dejaba pasar las oportunidades, una tras otra, sin decidirse.

Sin embargo, hoy había tenido que irse antes de hora del Departamento de Diseño Gráfico donde trabajaba porque estaba muy nerviosa: Andrea llegaba a Miami dentro de dos días y debía recibirla, atenderla. Por otra parte, Ligia ni sospechaba las razones de las manos sudadas y los sobresaltos en el estómago de Marta, por lo que, desesperada, terminaba siempre tratando de arrastrarla hasta el médico, sin éxito.

De repente, Marta tropezó con un mazo de cartas viejas atadas con unas ligas. Ligia, delicadamente, había dejado en su lugar las cartas que durante años se escribieron Andrea y Marta. «Ay, Ligia, mira que te quiero», pensó Marta llena de angustia, hasta que su vista topó con una foto enmarcada que, desde meses atrás, decidieron poner sobre la mesa de noche del cuarto. Era una foto vieja, de cuando se conocieron y se fueron de vacaciones por primera vez; sería más o menos en el año noventa y cuatro...

Cómo olvidar aquellos días en Colorado donde Marta conoció la nieve, gracias a la invitación de Ligia. Todavía no eran una pareja formal y ya Ligia quería que ella dejara la casa donde trabajaba de criada, cuidando a unos niños. ¡Qué locura! Si era el único techo que Marta tenía, y apenas la conocía. No podía, así como así, mudarse con ella y perder el trabajo.

Hacía unos meses que Marta vivía en Miami. Su primo fue a recibirla, y a los quince días de su llegada la llevó como empleada doméstica para la casa de una familia desconocida, donde Marta no hacía más que llorar. Por suerte, le daban el domingo libre, y ella lo aprovechaba para visitar a sus amistades cuando iban a recogerla, porque todavía no tenía un carro.

Fue simpático para Marta en Miami descubrir que Josefina, su esposo Rauli y otros ex alumnos de la Escuela de Arquitectura en Cuba, también eran..., bueno, de este lado le enseñaron a decir *gays*. Josefina, en cuanto vio a Marta tan triste y desesperada por la separación de Andrea, de inmediato trató de hacerle la vida más llevadera.

—Marta, éste es un país de dos. Sola no podrás hacer nada, ni pagar la renta.

Un sábado en la noche, Josefina llamó a Marta por teléfono anunciándole que al día siguiente la recogería para llevarla a conocer lo que era un barbicue. En el patio de Josefina y Rauli, Marta conoció a Ligia, en medio de un olor a carbón que poco a poco se volvió desagradable, al irse mezclando con el quemado irremediable de aquel asado mal atendido.

Marta se sentía feliz en el patio de sus amigos recordando los puercos preparados con hojas de plátano y de guayaba que asaba su papá en la finca de Pinar del Río, y hablando toda la tarde sobre su amor por Andrea. Ligia, quien la escuchó todo el tiempo, también aprovechó para contar sus pesares: acababa de terminar con una relación destructiva y viciosa que aún la hacía sufrir. Y como dos almas en pena que se dan terapia entre sí, las muchachas se separaron en la puerta donde Marta debía volver, justo a las ocho de la noche, para acostar a los niños que cuidaba. A partir de ese encuentro, los domingos de Marta se volvieron más llevaderos, aunque siempre, antes de salir para la casa de Ligia, llamaba a Cuba y conversaba cinco minutos con Andrea.

Marta desató el montón de sobres y buscó, entre sus cartas a Andrea, aquella que le escribió durante las vacaciones en Colorado, una tarde en que Ligia, prudente como siempre, salió sola hasta el bar más cercano para darle su espacio a Marta.

> *Andrea, mi amor:*
> *La nieve no es tan blanca y limpia como se ve en las postales, y esquiar es mucho más difícil de lo que pensaba. Pero los niños que cuido se encargan de hacerme la vida más soportable, gracias a ellos y a sus padres estoy conociendo estas montañas que, como te imaginarás, resulta una experiencia envidiable aunque muy fría, sobre todo porque no estas tú...*

Marta estrujó aquella carta vieja, escrita en Colorado años atrás, con deseos de quemarla, de lanzarla al vacío. A partir de esa mentira, escrita para evitar confesarle a Andrea que tenía una nueva amiga con quien estaba conociendo el invierno, Marta echó a rodar una imagen falsa de sí misma que, lanzada desde la montaña, se había convertido con el tiempo en una enorme bola de nieve que arrastraba todo a su paso, incluyéndola a ella misma.

¿Y Andrea? ¿Qué le contestó en esa ocasión? Con el sobre en la mano de aquella respuesta vieja, Marta dudó si debía releer el contenido. Miró el reloj, aún faltaban muchas horas para que Ligia apareciera en casa y desdobló el papel:

> *Marta, mi salvación:*
> *Me alegra que estés lejos, a salvo del terrible calor que cruza por La Habana en estos días. Pienso que la*

nieve pudiera sustituir el ventilador que se me rompió y tu soledad pudiera servirme para compensar esta falta de privacidad que padezco desde que vivo con mis padres. Pero en fin, la vida está hecha de extremos y la meta humana es lograr el equilibrio. ¿Hablaste algo en la Universidad Internacional de la Florida para ver si me invitan a algún evento?

Marta, quien no conocía Miami ni tenía carro, era incapaz de saber tan siquiera, donde quedaba esa Universidad y tampoco tenía relaciones con nadie del mundo académico. Su cabeza no le alcanzaba más que para contar a diario el dinero que semanalmente le pagaban *cash,* en un intento desesperado por reunirlo todo para lograr ser independiente, libre...

Cuando Ligia regresó aquella tarde del bar, allá en Colorado, encontró a Marta llorando. Al verla, se limitó a abrazarla y le propuso, una vez más, que se fuera a vivir con ella. Marta, quien quería sentirse de nuevo en casa después de reflexionar ante el extraño paisaje de la nieve, terminó por aceptar el calor humano que tan sosegadamente le ofrecía Ligia.

II

Al principio, convivir con Ligia tuvo sus inconvenientes. Cuando los abanicos no están hechos del mismo material y alguien los guarda juntos en un solo estuche, puede que si se produce un movimiento brusco de la caja el más resistente dañe al más frágil.

La vida de Marta se sacudió totalmente aquel día en que al descolgar el teléfono recibió una llamada amenazante y grosera. La voz preguntó por Ligia, pero como ella estaba en el periódico o periodiquito, como le dicen en Miami a las publicaciones alternativas, Marta atendió al reclamo de los timbres de aquel auricular barato que tenían instalado en casa.

Le prometieron cortarle la lengua y las manos si no dejaba su trabajo como periodista.

—Pero si yo no soy periodista —alcanzó a decir la joven.

—Si está en casa de esa zorra es porque come del mismo plato. ¡Comunista! —Y cortaron la comunicación de un tirón.

En efecto, Ligia era periodista y acababa de llegar de Cuba. De allá trajo mucho material para preparar un reportaje, el que estaba editando a esas horas en la oficina de la publicación para la que trabajaba.

De madrugada llegó Ligia a casa y, al entrar, se encontró con una Marta desconfiada y hostil que no entendía por qué le permitían a ella entrar a la Isla para entrevistarse lo mismo con funcionarios del gobierno que con disidentes del régimen, si en Cuba la política era tan inflexible.

—No sé por qué el gobierno cubano permite en su territorio oficinas de algunas agencias noticiosas de los Estados Unidos y de otras no, como tampoco de qué manera algunos periodistas de aquí logran entrar clandestinos a la Isla y filmar reportajes sin tener permiso del gobierno cubano, reportajes que luego exhiben por la televisión de aquí. Yo no te puedo contestar nada de eso, como tampoco se por qué me permiten hacer estos reportajes en la Isla. Simplemente, pienso que respetan mi ética profesional que consiste en no desvirtuar lo que me dicen, sea quien sea. Al menos quiero creer eso —concluyó Ligia y guardó silencio.

Marta se resistía a aceptar su propia suerte. Acababa de salir de Cuba envuelta en una llamarada política a causa de las obras que escribía Andrea, y llegaba a Miami donde su nueva amiga vivía señalada por sus publicaciones periodísticas. ¿Hacia dónde se puede escapar?, se preguntó en medio de la confusión.

Aún callada y visiblemente molesta, Ligia se cambió de ropa y se acostó. En el momento en que descansó su cabeza sobre la almohada, volvió a sonar el teléfono. Marta, nerviosa, se lanzó para tomarlo con la intención de insultar al intruso que supuestamente se atrevía a seguir molestando. Sin embargo, el tono de Marta cambió de repente y Ligia la oyó decir:

—Que sí, te quiero, te quiero mucho y me gustas mucho. Cálmate, no llores. Yo te quiero mucho... No cuelgues, no... —Se sintió un vacío y Marta, despacio, devolvió el auricular a la base.

Ligia continuó callada por breve tiempo; Marta, por su parte, se acostó como si no hubiese sucedido absolutamente nada.

—¿Qué pasó? —dijo Ligia, sorprendida por la tranquilidad de Marta.

—Nada. Era Andrea —respondió, restándole importancia al asunto.

—¿Y te parece que todo está bien?

—Es tarde. Tú estás cansada.

—¡Ni cansada ni ocho cuartos! Sin yo pedírtelo, me dijiste, antes de mudarnos para aquí, que no llamarías más a Andrea. ¿Qué hace ella con este teléfono?

—Llamó a mi primo y él se lo dio.

—¿Y por qué no le dices de una vez que vives conmigo? Es cruel lo que haces con ella. Además, te pasas la vida colgándote de mi cuello y jurando que me amas cuando es mentira.

—Yo sí te amo.

—No confundas la dependencia con el amor.

La tarde siguiente, Ligia no regresó a la casa, ni llamó, ni contestó el teléfono celular, simplemente se fue con su antigua amante y dejó, sin más explicación, a Marta.

Pasaron algunos días durante los que continuó asistiendo a sus clases de inglés y trabajando en un restaurante cercano, segura de que Ligia tendría que regresar, aunque fuese a buscar sus pertenencias. El salario de Marta no cubría el pago total de la renta, pero aún le quedaban veinte días del mes en curso para esperar por su compañera antes de mudarse a otro sitio más económico.

Vagando sola por Miami y sin importarle a nadie, Marta extrañó a Ligia hasta deprimirse tanto que no pensó más en Andrea, por el momento. Para su bien, trabajaba hasta los fines de semana en el restaurante, sin que le quedara mucho tiempo libre. Su angustia era ancestral, no era lo mismo sobrevivir en la tierra donde fue reina que en el suelo donde era menos que una cucaracha. Aquí no era la hija de nadie, ni se podía ganar el dinero con negocios de trueque, y para nada le valían sus estudios de Arquitectura.

Los primeros días de trabajo en el restaurante, Marta no lograba entender la mirada hostil de sus compañeros. Y menos por qué aquella camarera rubia la insultó tanto el día en que ella se confundió al tomar de la cocina una orden de camarones para su mesa, cuando en realidad estaba destinada a la mesa que atendía la rubia.

Justo dos meses después lo entendió, cuando, precisamente en medio de la ausencia de Ligia, un gordo de corbata y camisa blanca, mientras almorzaba con unos amigos, le hizo un escándalo público porque ella le trajo una orden de tostones junto con la comida y no como aperitivo, tal como él los había pedido. No había sido su culpa. Sencillamente el cocinero no sacó los tostones antes, y Marta quedó despedida, en medio de los gritos de aquel cliente ofendido.

Al llegar a la casa, después del incidente, en medio de aquella soledad espantosa, asustada por su situación de desempleo y sin tener con quién hablar, decidió escribirle a Andrea, sintiendo que ella era la única persona que podría interesarse por sus penas.

«Andrea, mi amor:

No sé ni cómo empezar esta carta. Jamás pensé que la civilización fuera tan parecida a la jungla...»

A Marta la asaltó el recuerdo de la voz tan angustiada de Andrea aquella noche por el teléfono, y paró de escribir. «A saber cuál de las dos está peor», pensó, y decidida, rompió meticulosamente el papel, dispuesta a proteger a Andrea una vez más. Entonces se dispuso a escribirle a Ofelia.

La joven estuvo un rato con la hoja en blanco, hasta reconocer que su familia, desde lejos, no la podía ayudar; y para no crear más preocupaciones sin solución a las gentes de Cuba, garabateó:

Mami y Papi:

Estoy de lo mejor, acabo de cambiarme para otro trabajo, también de restaurante, pero me pagan más. Pronto me mudaré para un apartamento de unos edificios que tienen hasta piscina...

Y como si se tratara de una novela de Julio Verne, terminó la carta a sus padres jugando a crear una situación opuesta a la real que terminó por hacerla sonreír.

Se levantó, fue al refrigerador y se dio cuenta de que no tenía ni huevos para comer. Corrió al teléfono, verificó su cuenta del banco y aún le quedaban mil dólares con los que podría alquilar algún estudio barato y comprar comida. Ya no tenía esperanzas de que Ligia regresara.

III

Con el mismo cuidado que tenemos, al escoger el lugar adecuado para conservar un abanico querido, así Marta trató de encontrar, según sus posibilidades, el mejor sitio donde reposar su alma. Sería una morada donde no hubiese ni demasiado calor, ni demasiada humedad que terminara por enmohecer lo humano que aún quedaba en ella.

En el nuevo estudio que alquiló Marta, a penas si le cabía la camita personal que Josefina y Rauli le regalaron. Pero tenía su bañito azulejado, un pequeño fregadero, además de un microwave sostenido encima de una tabla atornillada a la pared y un mini refrigerador conectado en una esquina. Estaba más tranquila desde que consiguió empleo en la misma compañía de seguros donde trabajaba

Josefina; al menos se sentía más estable. No ganaba mucho, pero podía sostenerse y pensar en el futuro.

Los fines de semana solía refugiarse en la casa de Josefina y Rauli para encontrar alivio a su soledad. Eso sí, todos los domingos destinaba unos minutos a conversar telefónicamente con Andrea. Por esa vía supo que el Ministerio de Cultura disolvió el grupo de teatro, quedando todos sus integrantes sin trabajo. Desde entonces, Marta redobló su promesa verbal de traer a Andrea cuanto antes. Sin embargo, cuando colgaba el teléfono, concientizaba que no tenía la más mínima posibilidad de hacerlo: no sabía cómo, ni tenía dinero suficiente.

Por aquellos días, Marta tampoco dejó de pensar en Ligia. Mientras más gentes conocía, más cerraba el círculo de personas a las que quería tratar. Una noche, Josefina y Rauli la invitaron a una discoteca *gay*. Antes de salir, su amiga de universidad la vistió a su modo, asegurándole que con ese nuevo look de seguro encontraría compañía.

Llegaron antes de las diez de la noche a la discoteca para no pagar la entrada. Marta se sentía algo ridícula con su ropa negra tan ceñida al cuerpo y aquellos tacones que apenas sabía manejar. Al entrar, les acuñaron la mano con tinta, garantizándoles que pudiesen entrar y salir sin ser fiscalizados en la puerta.

Marta recordó a los prisioneros de los campos de concentración nazi a quienes les imprimían por siempre un número sobre la piel. Pero sin pensar más, decidió hacer lo mismo que los demás, para no llamar la atención.

El sitio estaba repleto, en su mayoría de mujeres que formaban una amplísima muestra del sexo femenino. Entre ellas, Marta encontró jovencitas de pelo muy largo y faldas cortas, muchachas que vestían como hombres, abuelas comunes tomadas de la mano con sus parejas, cuarentonas ejecutivas que fumaban como chimeneas, mujercitas tímidas y conservadoras, motoristas tatuadas y vestidas de cuero, voluptuosas latinas maquilladas hasta el infinito. En fin, Marta creyó estar mirando algún film de moda, donde todos hablaban a la vez, inexplicablemente, a pesar de la música estridente.

La gente se conocía pero andaba en grupos que se relacionaban poco entre sí. Marta se tuvo que limitar a entablar trato con Rauli, Josefina y sus amistades, hasta que se escuchó música latina y la discoteca se animó como un relámpago. Casi todo el mundo saltó a bailar. De pronto se vio marcando unos pasillos de salsa con una forzuda que no hablaba español. Siempre había rechazado la música latina en Cuba, no reconocía su entusiasmo de aquella madrugada, y por primera vez se enajenó con un ritmo que desdeñó desde la adolescencia. Terminó agotada, hasta que Josefina le pidió que la acompañase al baño.

—Ten cuidado con la forzuda. Averigüé que le gusta pegarle a sus parejas y le da a la droga en la mismísima costura.

Marta no entendía nada, pero decidió no separarse de Josefina en toda la noche, tratando de simular que era su pareja.

—Me estás espantando a todo el mundo, Marta. Me voy a quedar solterona por tu culpa.

Para alejarla un rato, Josefina le pidió que fuese a comprar unas cervezas al bar. Ya era más de la media noche, la música latina había cesado y a un ritmo seductor, salió una bailarina semidesnuda a danzar encima del mostrador. Marta se detuvo a contemplar la perfección de aquel cuerpo, en tanto esperaba por las cervezas pedidas. De repente, sintió que un hombre le hablaba bajito en español:

—Mira, esa muchacha que está sentada ahí... es mi mujer, yo le estoy buscando compañía.

Marta lo miró un tanto perpleja y el hombre se envalentonó más, tratando de poner una mano en la cintura de ella. Se quitó la mano visiblemente molesta y al ver a la forzuda cerca de ella la señaló con un dedo.

—Ya tengo pareja.

La forzuda le sonrió a Marta y la ayudó, gentilmente, a llevarse las tres cervezas del bar. El hombre giró sobre sus talones y siguió buscando alguna mujer para su mujer.

La noche culminó entre risas. Josefina y Marta terminaron durmiendo juntas en el sofá, para dejarle el cuarto a Rauli que regresó acompañado por un mancebo argentino.

Antes de dormirse, Josefina le confesó a Marta:

—Las discotecas no sirven para nada. Ay, Marta, si yo me pudiera olvidar de Pupi... la muy sinvergüenza anda por New York encantada de la vida.

A la mañana siguiente, Marta regresó a su casa con el mal sabor de volver a la soledad de cada semana, pero esta vez, luego de una noche de juerga, volvía con una sensación de vacío mucho más profunda, pensando que la alegría con que buscó el aturdimiento de la madrugada no era más que el espejismo de un oasis en medio del desierto emocional que atravesaba. En su casa liliputiense todo estaba en su sitio, y un cansancio atroz la llenó de hastío.

De improviso, tocaron a la puerta de su estudio. Marta se sobresaltó, no era costumbre que alguien viniese sin avisar primero por teléfono. Temerosa, abrió la puerta y vio a Ligia frente a sí.

IV

Marta se descubrió contemplando a Ligia con el mismo sentido de ritual que impregnaba a sus movimientos al sacar de la cajita su abanico chino y mirarlo con emoción, como si se tratara de una reliquia. Cada vez que Marta contemplaba el dibujo de aquel abanico se preguntaba quién sería el autor y lo imaginaba gordo y risueño como Buda, por la paz que lograban trasmitir sus líneas breves. En realidad, ella aborrecía el arte chino occidentalizado y comercial que solía ver en algunas casas de mal gusto, pero el carisma de su abanico era algo atrayente y especial para ella, como la misma Ligia... o Andrea que estaba tan lejos.

El regreso de Ligia implicó que Marta dejara de comunicarse con Andrea todos los domingos; sólo le escribía cartas de vez en cuando y a escondidas. También cambió su número telefónico para evitar que la llamaran de Cuba.

Era pequeño el espacio donde las muchachas convivían en la ciudad de Miami, pero los amigos empezaron a identificar el lugar como la casa de Ligia y Marta. Y a sabiendas de que esa percepción de los allegados suele producirse cuando las uniones alcanzan cierta estabilidad, las jóvenes asumieron su condición pública de pareja.

La crudeza de subsistir les hizo acelerar el proceso normal que establecen las personas para conocerse, al punto de amoldar sus gustos y preferencias, sin terminar de conocer el mundo íntimo y verdadero que se escondía bajo la armazón de cada una.

Marta siempre estaba inquieta, sobre todo cuando recogía a espaldas de Ligia una carta de Andrea en la casa de Josefina y Rauli.

> *Marta, a secas:*
>
> *Tengo la certeza que alguien sacude tu cuerpo hasta el máximo del placer. Dime si también, le has entregado el alma...*

Marta no sabía qué contestarle a Andrea, sólo podía reconocer que Ligia era el mundo real. Por su parte ésta también se veía inquieta, aún le quedaban secuelas de su retorno breve a Emilia, sobre todo por un cierto sentido de inestabilidad que la mataba. Si algo odiaba Ligia en su vida, era mudarse de casa; y desde que estaba en Miami no duraba ni tres meses en una vivienda fija. Por eso ahora, a pesar de la estrechez del estudio de Marta, no quería irse de allí, aunque tuviera la computadora tan pegada a la cama que no sabía si era mejor dormir sobre el buró que sobre la almohada.

Hacía tres años que Ligia trabajaba como periodista de aquella publicación alternativa. No le pagaban mucho, pero podía sostenerse modestamente y le quedaba tiempo para dedicarse a escribir una novela que nunca terminaba.

Marta se acostumbró a verla escribir horas y horas sin que mediara palabra alguna entre las dos. En aquellas ocasiones, ella se ponía a leer y de vez en cuando observaba a Ligia, para darse cuenta lo mucho que se parecía a Andrea, no en el físico, porque Ligia era trigueña, de ojos castaños y alta, pero sí en la manera obsesiva de reflejar el mundo que las rodeaba.

«¿Qué escribirá?», se preguntaba Marta, a solas, cuando trataba de averiguar el password que daba acceso a la novela de su amante. Hasta que un día, aprovechando la alegría de Ligia después de tomarse dos tragos de Black Label, le pidió una prueba de amor y ella le entregó en secreto su clave. CANGREJOMORO era la palabra mágica.

Al día siguiente, en cuanto llegó del trabajo y comprobó que estaba sola en casa, Marta se enfrentó al universo creado por Ligia. Reconoció al vuelo que la historia se ubicaba en Cuba. Trataba de una muchacha nacida en Santa Clara que había estudiado periodismo y, luego de graduarse, no encontraba trabajo, hasta que se unió con un grupo de jóvenes y crearon una publicación alternativa y rudimentaria, de carácter cultural, para dar a conocer el arte no oficial que se hacía en la Isla. El trabajo fue intenso, pero la revista no sobrepasó el primer número. No obstante, la labor de la joven fue reconocida por algunos y logró encontrar su camino, consiguiendo colaborar con publicaciones de la Iglesia Católica.

A Marta toda la historia le era familiar y decidió buscar hacia el final del texto para comprobar lo que temía. En efecto, durante las últimas páginas aparecía un personaje muy parecido a ella misma que se vinculó con la protagonista, quien continuaba en Miami trabajando en los medios de prensa pobres y alternativos. Esa era la historia inconclusa de Ligia, su propia vida que aún no tenía final.

Conmovida, cerró la computadora deprisa, para no ser sorprendida por Ligia y se puso a preparar la comida. Ésta no tardó, pero al llegar venía pálida y diferente, cerró la puerta a pesar del olor a comida y encendió el aire acondicionado. Marta callaba, sorprendida por la actitud de su compañera, a quien, normalmente, repugnaban los olores fuertes de cualquier sazón. En eso tocaron a la puerta y Ligia abrió. Era la dueña de la casa que también venía alterada y nerviosa.

—No se preocupe. Nos iremos de aquí cuanto antes.

Marta no podía creer lo que escuchaba de boca de Ligia.

—A eso vengo —murmuró la dueña.

—¿La ha llamado mucha gente? —insistió Ligia.

—Unos cuantos. Me insultan porque dicen que yo fui a Cuba... Lo peor es que el papá de mi niña me llamó dándome gritos. La familia tiene miedo de que le pase algo a la niña... y yo me muero si ellos me la quitan por culpa de ustedes —alcanzó a decir la dueña, entre lágrimas.

—No se ponga así... en cuanto nos vayamos todo se va a calmar. En realidad usted no ha ido a Cuba nunca. La gente oye algo en la radio y sin entender bien acusan a cualquiera.

—Si no se van enseguida voy a llamar a la policía. Y ustedes no están como para eso. Si no fuera por la necesidad que tengo de alquilar... Cuando no es un drogadicto es una comunista.

La dueña se fue dejando la atmósfera cargada. Marta, quien no entendía nada, se sintió molesta porque la obligaran a dejar el lugar que con su esfuerzo alquilara dos meses atrás. Además, no tenían dinero suficiente para mudarse.

—Acaba de salir el reportaje que hice en Cuba y como tiene distintas opiniones tomadas allá, alguien, molesto, dio por un programa radial esta dirección y el teléfono de la dueña de la casa como si fueran mis señas... Están amenazando con llegar hasta acá para hacerme un acto de repudio. Y metieron en esto a dos inocentes.

—¿Dos? ¿Pero quién fue?

—No sé. Si quieres puedes quedarte, pero no te lo recomiendo, porque dijeron públicamente que soy lesbiana y que vivo con mi amiga íntima. Si no me encuentran, puede que la cojan también contigo. Tú eres la otra inocente envuelta en el problema. —Ligia calló, esperando un sinnúmero de reproches y maldiciones por parte de Marta.

—Pero yo creía que esto nada más pasaba en Cuba —Ligia se relajó ante la salida de Marta.

—Los jefes del periódico están discutiendo si me ayudan o no a mudarme. Necesito que me adelanten el salario de este mes para irme ahora... Ellos creen que esto es problema mío, aunque el trabajo fue para su publicación y con el consentimiento de ellos. En fin, quienes me debieran proteger me están echando al fuego. Estoy sola y sin dinero.

A la mente de Marta vino la imagen angustiada de Andrea en la estación de policía de Cienfuegos y, llena de ira contra el desatino humano, se volvió a Ligia:

—Tú no estás sola.

V

Los abanicos pueden salvar a las gentes en una noche de calor, como Josefina salvó a sus amigas con un préstamo. Luego, cuando pasa el peligro de morir asfixiados por las altas temperaturas, guardamos nuestros abanicos, como héroes, en cajitas rellenas de algodón.

Ligia continuó trabajando en el periódico, a pesar de las presiones internas que hicieron algunos jefes por sacarla después de tanto escándalo en la ciudad. Para ella representaba un reto quedarse, por el solo hecho de no demostrar debilidad ante miles de lectores que ansiosos permanecían pendientes de sus reportajes y columnas, esperando por el desenlace de las presiones y amenazas públicas contra la periodista.

Pero a pesar de resistir entre dos líneas de fuego, Ligia estaba más sensible que nunca, y se deprimió aún más cuando comprobó que las organizaciones constituidas en Miami para defender la libertad de expresión no acudieron en su ayuda. Nadie le podía pagar los servicios de un abogado para contribuir, con un proceso judicial, a sanear una sociedad tan enferma y llena de rencor.

Marta, por otro lado, comenzó a temer por la integridad física de Ligia y por su equilibrio emocional. Cuando venía del trabajo, se encerraba en casa y escribía febrilmente su novela, como queriendo plasmar en el papel cada detalle de la experiencia única de ser una persona atacada por casi toda una comunidad por el simple hecho de realizar bien el trabajo que le encomendaron sus jefes.

Las dos vivían despistando a los demás, aprovechando que el rostro de Ligia era desconocido en la ciudad. Consiguieron un nuevo apartamento muy modesto que pusieron a nombre de Marta y, para las gentes, las dos tenían un negocio relacionado con servicios de salud.

Cuando Marta analizaba la situación de Ligia, terminaba por poner el pensamiento en Cuba, sintiendo un temor enorme porque si Andrea viniese a Miami y lograra, con mucho esfuerzo, desarrollarse como teatrista, encontraría un entorno tan amenazante como el de la Isla.

«¿Existe algún sitio donde los cubanos que piensan puedan vivir?», se preguntaba Marta, buscando en el mapa de su imaginación algún lugar posible.

Josefina y Rauli se mantuvieron cerca de las jóvenes. Sin embargo, otros amigos llamaron a Marta para alertarla en contra de Ligia, acusando a la periodista de agente de Castro. Marta juró a los maledicientes que si Ligia era espía y vivía con tanta miseria, angustia y desamparo, ella en persona la iba a matar, y así cortó aquellas llamadas fastidiosas.

Ligia y Marta no recuerdan cuándo se acostumbraron a vivir en medio de aquella amenaza que, al prolongarse indefinidamente, se tornó cotidiana y común. Pero lo cierto es que las circunstancias las hicieron unirse mucho más.

Uno de esos domingos aplomados en que se hace imprescindible alejar las melancolías, las jóvenes decidieron preparar una fiesta de a dos. Como no tenían mucho dinero, optaron por cocinar unas pastas en casa y tomarse una botella de buen vino a la luz de dos velas y con música de fondo.

Dispuestas a lograr, a toda costa, la alegría necesaria, decidieron imitar a cuanta persona las había dañado en esta vida: aparecieron maestros de la niñez, familiares, jefes, funcionarios con la boca redonda de tanto decir NO, en fin, todo un muestrario de la naturaleza humana que las hizo pasar de la euforia a la catarsis.

Lloraron de tanto reír y aún sin calmarse, justo cuando bebían el fondo de la botella, les vino un momento de extraordinaria lucidez.

—Ligia, ¿Mamerto es el que trabaja en el periódico de Miami?

—Sí.

—¿Y es el mismo que te vetó en el periódico de Santa Clara por lesbiana?

—El mismo.

—¿Y es el que publica aquí esas noticas jodedoras, hablando de ti?

—Exacto... Marta, el Estrecho de la Florida no es el río Jordán.

La frase les provocó un ataque de risa tal que terminaron desfallecidas por el suelo, y luego, al verse las orejas coloreadas por el vino, volvieron a reír con tal fuerza que Ligia se dio en la cabeza con la pata de la silla. Lejos de parar, siguieron riendo hasta sacarse los rencores y encontrar la paz.

Exhaustas, fueron buscándose en la semipenumbra hasta topar la una con la otra. El fuego de las velas se proyectaba en la pared creando mil enigmas sin posible explicación. Un olor a incienso y aceites perfumaba el espacio. La atmósfera era sutil y seductora.

Ligia acercó su rostro al cuerpo desnudo de Marta y percibió, por la cercanía de su mirada, un universo infinito sobre la piel de su amante. Y así, imitando el andar de una hormiga con el movimiento de sus dedos, recorrió caminos y montañas hasta perder la razón.

Marta se arrancó la memoria de golpe y en el acto su cuerpo desnudo convulsionó, hasta el punto de incorporarse involuntariamente. Entonces, atraída sin remedio por el fuego, pasó rápidamente sus manos sobre las velas, hasta comprobar que la llamas queman a quien se detiene sobre ellas. «Si el piso es de fuego por él se ha de correr», se dijo, y sin detenerse a analizar el giro de su interior, se lanzó, desde el fondo de su alma a la conquista de una nueva dimensión, impuesta por el suelo de una tierra extranjera.

VI

Marta llegó a ponerse tan paranoica que al sacar su abanico para contemplarlo le pareció un cadáver dentro de su féretro. Asustada, lo abrió y lo zarandeó hasta comprobar que el abanico aún lograba batir el aire de la habitación. Al saberlo en buen estado, respiró aliviada y lo devolvió rápidamente a la quietud del closet para correr a ver el noticiero de las seis.

Desde hacía varios días, las muchachas se mantenían pendientes de las noticias porque, a través de las estaciones radiales de Miami, se rodó una convocatoria masiva para realizar un acto de protesta frente a la sede del periódico donde trabajaba Ligia.

La manifestación no era solamente en contra de ella como reportera, sino contra varios comentaristas que viajaban a Cuba y daban, a través de sus artículos, una opinión sobre la realidad cubana diferente a la generalizada en Miami, llegando, en algunos casos, a estar de acuerdo con estrategias y posiciones del gobierno de la Isla. Al escuchar la noticia, Ligia se sumió en su novela sin fin y escribió:

«Nunca vio un avión bombardeando su ciudad, ni un Ejército invadiendo su país. Pero la certeza de vivir en tiempos de paz era una ilusión, porque una ciudad que protesta por la diversidad de opinión es una ciudad que lleva, en su corazón, la guerra.»

La hora de la protesta se avecinaba. Todos en el periódico tenían presente la pasada manifestación realizada en la ciudad contra la presentación de un grupo musical de la Isla en Miami; sobre todo las imágenes televisadas, donde se vio claramente a los manifestantes tirando botellas y latas al público que acudió al teatro, sin que nadie se explicara cómo los agresores habían logrado burlar a la policía que se encontraba en el lugar.

Y mientras todos hablaban a la vez en la sede del periódico, Ligia recordó cuando presenció la actitud poco profesional de algunos periodistas oficiales cubanos, quienes ante una sala llena de reporteros de todo el mundo, recriminaron, en una conferencia de prensa, a un presidente extranjero porque éste se reunió con disidentes del gobierno de la Isla.

Esa misma politización del periodismo Ligia la reconocía en Miami cuando algún reportero conocido entraba a cubrir un acto considerado procastrista y terminaba enredado a los piñazos con los organizadores del evento, para ganarse el calificativo de héroe entre los miamenses.

Ligia concluyó que su reportaje sobre la Isla, por su empeño de balancearlo con diferentes opiniones en busca de imparcialidad, no podía ser aceptado ni en Cuba ni en

Miami. «No me quedará más remedio que tirárselo a los tiburones», se dijo, volviendo de nuevo a escuchar la voz de sus compañeros debatiendo la estrategia a seguir en el momento de la protesta.

Mientras más debatían en el periódico, más se sentía Ligia en medio de una batalla. Su memoria retrocedió a los sucesos del Mariel en Cuba, cuando las familias que pretendían salir del país eran acosadas y agredidas en sus casas por las gentes enardecidas a través de las arengas de los medios masivos de comunicación, sin que las autoridades hicieran nada por proteger a las víctimas.

Ligia se preguntó por qué estaba en Miami, justo en el sitio donde se produciría una protesta de repudio que, tal vez, contara con la semi indolencia de la policía y la agresividad de los periodistas de medios latinos de importancia. Entonces se acordó de sus primeros tiempos en la ciudad, cuando recogía firmas a favor de la apertura de casinos de juego en Miami parapetándose en la puerta de un mercado en Hialeah, recibiendo las burlas de los empleados del lugar.

También le vino a la mente la noche en que decidió dormir en su automóvil viejo porque no tenía casa a dónde ir, y pensando que podía ser atacada por cualquier malhechor buscó una zona de gentes pudientes. No llegó ni a media hora de sueño: enseguida seis perseguidoras rodearon su auto despintado y feo, obligándola con dureza a bajarse para registrarla. Después de verificar su identidad y sin encontrarle ninguna prueba que la acusase de algo, le exigieron que se perdiera del barrio.

Un domingo, visitando a un amigo, conoció casualmente a un hombre que para suerte de ella buscaba algún periodista, poco exigente con el salario, para trabajar en la publicación que dirigía. Pensó que se trataba de la señal de aliento que tantas veces le pidió a Dios desde su llegada a Miami.

Finalmente, los compañeros del periódico volvieron a sacarla de su recuento interno preguntándole su opinión sobre el plan concebido por todos ellos. Ella los miró sin saber qué contestar.

El día de la protesta, Marta llegó a casa temprano. No quería perderse las noticias y, además, sentía que era su deber acompañar a Ligia. Sin embargo, lejos de lo previsto, las dos lo pasaron muy calmadas.

A la hora en punto, dejaron correr los canales de la televisión hasta tropezar con el noticiero hispano, y sosteniendo una taza de té verde en sus manos, ambas disfrutaron el espectáculo preparado por los trabajadores del periódico para los manifestantes, entre sorbo y sorbo de té.

La opción fue la indiferencia. Los locales del periodiquito cerraron durante todo el día, colocándole en los cristales exteriores las planchas metálicas recomendadas en tiempo de ciclón. Dentro, permanecieron el director y el jefe de la junta que patrocinaba la publicación, cerrados herméticamente.

Los manifestantes encontraron los muros fríos del edificio, sin tener a quién gritarle, ni a quién humillar con sus acostumbrados insultos de ocasión. Los periodistas de los medios latinos importantes llamaron a los teléfonos de la sede y recibieron como única respuesta:

—Aquí no se encuentra ninguno de los comentaristas ni reporteros nuestros, por razones de seguridad.

Ligia y Marta vieron en el noticiero de televisión al reportero de moda informando frente al único panorama posible: los muros grises del edificio. A las seis de la tarde los manifestantes, cansados de gritar a las paredes, se habían retirado del lugar.

VII

Como la primavera destapa el renacer de la Tierra, así sacó Marta su abanico luego de muchos meses de no acordarse de él. Volverlo a mirar era reconocer que el tiempo había transcurrido. Sin embargo, esta vez no sintió la necesidad de abrirlo como antes; sencillamente le bastaba con recordarlo extendido y poderoso, mostrando su belleza.

La crisis provocada por el reportaje de Ligia había terminado, y la muchacha permanecía en el periodiquito de siempre sin que nadie le prestase mucha atención. Para su suerte, la furia política de Miami andaba tras otros propósitos de moda, permitiéndole un respiro que aprovechó para pedir un aumento salarial que le fue concedido.

Marta logró empezar a trabajar en una Empresa de Publicidad, precisamente en el Departamento de Diseño Gráfico, ganando mucho más de lo que nunca imaginó lograr en Miami.

Las dos se mudaron a un condominio que tenía la entrada protegida por un guardia de seguridad e intercomunicador en la puerta del lobby de cada edificio. Sin confesárselo la una a la otra, Marta y Ligia buscaban vivir en una especie de fortaleza, aprovechando la tregua del momento y las posibilidades económicas que tenían.

Por primera vez, la vida en Miami se les presentaba tranquila y segura. Era época de Navidad y la ciudad se esmeraba en vender más que de costumbre, sobre todo ahora que el año 2000 marcaba el fin del siglo y el comienzo de un nuevo milenio.

Ligia y Marta, entusiasmadas por la ilusión contagiosa que primaba en la ciudad, querían hacer algo diferente, luego de esperar toda la vida por la llegada de tan gran acontecimiento.

En Cuba, a los que nacieron después del 59 les llamaron desde pequeños «los hombres del año 2000», y en Miami, con la fecha encima, algunos recién llegados de la Isla se sumaban a la propaganda de su nuevo país y predecían el fin del mundo o el cambio de la humanidad o, sencillamente, trataban de celebrarlo apoteósicamente, según sus posibilidades económicas individuales. Olvidaban la responsabilidad colectiva que como generación les dieron al nacer pretendiendo que fuesen los seres perfectos de una tierra supuestamente comunista.

Sin embargo, lejos de su país, la situación económica de Marta y Ligia, luego de la mudada, les obligó a seguir el ritual de cada año. Fueron de noche al Publix y compraron un pino pequeño que sin mucho esfuerzo llevaron a casa.

Pusieron el arbolito en su base y lo contemplaron con una alegría inusual, motivada por buscar un espíritu diferente y esperanzador dentro de ellas y no en la fanfarria del mercado.

—¿Dónde estaremos dentro de mil años, Marta? —preguntó Ligia.

—Sin duda frente a este mismo árbol —le contestó la joven.

Las dos se miraron, era la cuarta Navidad que pasarían juntas y la primera en que se sentían verdaderamente alegres, en medio de una familia de a dos, con pasado para recordar y futuro por el que soñar.

Como conservaban muy pocos amigos, con dos o tres botellas de vino terminaron su lista de regalos que no pondrían debajo del arbolito. Este año estaban invitadas a cenar en la casa de Josefina y Rauli para Nochebuena. Además, entre todos los conocidos, preparaban para el día 31 una fiesta que prometía ser divertida, donde los hombres irían vestidos de mujer y las mujeres de hombre.

—Qué curioso, Ligia, es como si quisiéramos cumplir la profecía bíblica de que al final del mundo las mujeres se convertirán en hombres y los hombres en mujeres —comentó Marta una semana antes de comprar el árbol de Navidad, llena de temores y presentimientos.

Pero Ligia decidió, en silencio, analizar la frase en el contexto de su novela infinita, sin prestar mucha atención a la sensibilidad de Marta, quien se quedó a solas pensando en los terribles castigos que promete La Biblia a los pecadores. Por primera vez, Ligia se sintió fuera de la Ley de Dios, hasta que se desmintió a sí misma, concluyendo que de seguro estaba impresionada por los discursos apocalípticos, típicos del 2000. Sonriendo se durmió, dejando que Marta escribiera hasta muy entrada la madrugada.

El verde intenso de las ramas del pino les robaba la mirada. Era tanta la vida de aquel árbol que resultaba perfecto sin simulacros de nieve, ni bolas de cristal; pero tratando de seguir la tradición, Marta y Ligia abrieron sus cajas de adornos para comenzar la tarea de todos los años.

Después de colocar en una rama el primer objeto navideño, un trineo en miniatura donde viajaba un pequeño Santa Claus, sonó el teléfono. Ligia lanzó una mirada de súplica a su amiga pensando que podría tratarse de alguien de su trabajo y Marta, después de una mueca, salió corriendo a buscar el auricular que debía estar abandonado por el cuarto.

Ligia, olvidando el mundo, se concentró en el color de las bolas navideñas tratando de repartirlas con variedad entre las ramas de su árbol y a manera de inspiración se invistió con un gorro de Santa Claus que tenían comprado desde el año pasado. Poco a poco, la conversación telefónica que Marta sostenía en el cuarto fue creciendo de volumen, sacando a Ligia de su entretenimiento.

Ligia, en cuanto oyó los insultos que lanzaba Marta al auricular, apareció en el cuarto con la boca abierta y el pompón colgante del gorro dándole sobre la cara, como si fuera el ser más estúpido del planeta. Pero se alarmó aún más cuando se dio cuenta de que la mamá de Marta era quien gritaba del otro lado.

—¡Marta, no le hables así a tu mamá...! Te vas a arrepentir después. ¡Es tu madre! —gritó Ligia, aumentando la confusión del momento.

Marta, llena de ira, colgó de un golpe el teléfono en medio de los regaños de Ligia y cuando se viró para ver el rostro de su amiga la vio tan ridícula con aquel gorro que a pesar de lo alterada que estaba empezó a reír.

—¿Cómo vas a discutir así?... Tenemos la familia lejos y si para colmo peleamos en el momentico que hablamos con ellos...

Marta tenía el rostro rojo y las venas del cuello hinchadas de tanto gritar, las manos le sudaban copiosamente. Se sentó, tratando de serenarse, sin dejar de sonreír ante el aire esperpéntico que le daban a Ligia los golpes del pompón sobre el ceño fruncido, en medio del discurso tan doctoral con que trataba de convencerla para que le pidiese disculpas a su mamá.

Por fin, Marta pudo hablar de nuevo y cortar la letanía de Ligia.

—Llamó porque alguien le dijo que yo vivo con una... y sin preguntarme como estoy, empezó a decir horrores... que cómo es posible que yo esté en este país para vivir con una mujer vieja y tal..., imagínate... —confesó Marta.

—¿Con una vieja? ¿Esa soy yo? —protestó Ligia quitándose el gorro de Santa Claus para tirarlo sobre la cama.

—Debes ser tú... no sé de dónde sacó que eres vieja... Pero se expresó tan, tan feo de ti y de mí...

Los ojos de Marta recorrieron el apartamento y en un santiamén comprendió que la Navidad no es más que un pretexto para hacer regueros en casa. Ligia se sentó en el suelo sin ánimo, cansada de que el mundo la juzgara sin conocerla.

—¿Quién pudo irle con el chisme? —se preguntó Marta.

—Seguro que tu amiga Andrea, como nunca has hablado claro con ella, tal vez se enteró de lo nuestro y quiso vengarse —contestó Ligia con tono amargo.

—No creo. Andrea no es capaz de hacerme daño. Incluso hoy por la mañana Josefina me llamó al trabajo porque llegó a su casa un paquete que me mandó con todas las cartas que le he escrito. Parece que al no saber de mí en tanto tiempo, decidió romper definitivamente.

—¡Como siempre, defendiéndola! Nunca has sabido resolver el problema con Andrea.

Ligia se levantó molesta, recogió su bolso y salió de casa ante la mirada resignada de Marta.

—Ay, mamá, mamá... —murmuró Marta.

VIII

Marta acarició de nuevo los sobres viejos con las cartas que un día Andrea le escribió. En otro extremo de la cama estaba el paquete de sus respuestas. Al releer indistintamente algunos papeles, sintió que no le bastaba ni el aire acondicionado para mitigar el sofocante calor que le producía su propia historia epistolar. Y sin saber muy bien lo que hacía, empezó a batir el abanico chino en busca de alivio. Sólo entonces se percató de que aquella hoja plisada, guardada con devoción por tanto tiempo, tenía visos amarillos y un olor a polvo que la hizo estornudar hasta el cansancio. Angustiada por una alergia que no sentía desde que pisó La Florida, Marta tiró a la basura, con prisa, el último recuerdo de la Isla: su abanico chino.

Cuando Ligia abrió la puerta sintió olor a quemado. Curiosa, siguió los pasos que le marcó su olfato y en el baño se encontró a Marta frente al lavabo, encendiendo una a una todas sus antiguas cartas de amor. Se asustó al ver la mirada complacida de Marta frente al retorcimiento agónico del papel devorado por el fuego y comprendió que en cualquier momento su amiga podía caer al abismo de los delirios.

—Te llamé al trabajo y no estabas. Me preocupé —se atrevió a decir Ligia.

—Andrea avisó desde febrero que venía. Me pidió dinero y se lo mandé. Llega dentro de dos días —dijo Marta en tono de desafío.

—¿Y esperaste la primavera para decirlo? —murmuró Ligia, tragando en seco para no gritar la ira que le crecía en el centro del pecho al conocer la causa de los recientes desajustes de Marta.

—¿Crees que me resulta fácil? ¡Estoy harta...! —gritó Marta sosteniendo la mirada de su amante, hasta que se quemó un dedo y soltó de un tirón la fosforera junto con los papeles, que cayeron desparramados por todo el baño.

Ligia se lanzó a apagar con los zapatos las cartas encendidas, en tanto Marta logró sentarse en el inodoro aturdida, temblorosa. Una mezcla extraña de impotencia, compasión y rabia se apoderó de Ligia. Esta vez no estaba dispuesta a huir, tal vez porque no era ella la culpable de una posible separación. Con calma, limpió el tizne de tanto papel quemado y dejó que Marta llorara en silencio sus miserias.

De pronto, como un mal presagio, sonó el teléfono. Aquel aparato, en los últimos tiempos, no hacía más que anunciar problemas. No sabía si era el momento para tomar la llamada o no. La joven revisó el identificador de números y vio que se trataba de uno de sus jefes por lo que no creyó prudente negarse. Muy a su pesar, descolgó el auricular y saludó formalmente, pero su sorpresa fue grande al recibir como respuesta una sarta de insultos que le propinaba la voz deformada de su superior, quien parecía estar hablando desde un lugar público, alegre y bullicioso.

—Tienes unos tragos de más. Así, no te voy a atender —dijo Ligia, dispuesta a colgar e imaginando el olor a borracho que debería de tener su jefe en ese momento, hasta el extremo de sentir asco y mareo por una peste imaginada.

Pero la joven no calculó la capacidad prepotente de su jefe, quien le reclamaba por sus opiniones del último artículo con tal arrogancia que colmó la poca dosis de paciencia que le quedaba aquella tarde. Ligia, lejos de cortar la conversación, se sintió tan iracunda al ver como un detestable borracho quería coartarle su derecho de expresión que comenzó a devolverle las palabras hirientes a su jefe, sin detenerse a pensar que con la gente ebria no se discute.

El tono de los insultos fue subiendo hasta el punto de que Ligia escuchó las voces de protesta de los clientes que pretendían disfrutar en aquel bar y no estaban dispuestos a enterarse de la conversación que a gritos sostenía el parroquiano. Llegó hasta a percibir una voz femenina que, desesperada, trataba de convencer al borracho para que cortara la comunicación.

Las suposiciones que Ligia tenía durante los últimos días estaban comprobadas: querían despedirla y no sabían cómo hacerlo. Ellos mismos le habían creado una imagen controversial al pedirle aquellos reportajes a funcionarios del gobierno cubano. Ahora pretendían girar su posición política suavemente, sin hacer declaraciones públicas que evidenciaran su carácter endeble, y la joven reportera no les convenía en su periódico.

Los insultos dichos en boca de un borracho no podían tomarse muy en serio, por lo que Ligia jamás podría utilizarlos públicamente en contra de ellos. Todo era parte de una campaña de presiones contra su persona, para que ella renunciara en un momento de impulso y así no levantar comentarios en los medios de prensa.

Marta, como una sonámbula, apareció al lado de Ligia atraída por el escándalo que tenía formado su amiga. Roja y muy alterada, sin atender a su lado racional, Ligia terminó renunciando a gritos y lanzando el auricular por la ventana, cayendo éste sobre el césped que rodeaba al edificio. Marta, al ver el lado difícil de la situación, dejó de compadecerse a sí misma y sólo atinó a aprobar con un gesto la acción de su amiga.

—Estoy desempleada —dijo Ligia.

—Hace unos meses te subieron el salario, eso es señal de que te estiman... tal vez todo se pueda arreglar —le comentó Marta, como reflexionando.

—No. Unos meses bastan para que la gente cambie de opinión. Eso sí, ¡desde hoy, no voy a aguantar ni un insulto más, ni otra humillación, nada! Yo también estoy harta, sobre todo del teléfono, de las cartas, de los recados, los e-mails. ¡No soporto nada que no sea yo misma y esta cáscara de casa donde me escondo del mundo!

—¡¿Te sientes bien?! —preguntó Marta alarmada al ver que Ligia se iba doblando, aparentemente por un dolor de pecho que le hizo perder hasta el color de su rostro.

Una llamada de emergencia y en diez minutos se hizo presente la ambulancia. Delante, llena de agujas y tubos de oxígeno, iba Ligia convencida de su gravedad. Y como si se tratara de un carro fúnebre, Marta siguió a la ambulancia hasta llegar al hospital.

En el trayecto, Marta se sintió aterrada, no era justo que la muerte decidiera la amante con que debía compartir su vida. Dentro de dos días, Andrea aparecería débil, indefensa; y ahora, Ligia estaba sin empleo y al parecer, grave. «¿Y yo?», se preguntó Marta en silencio, sin saber cómo congeniar el pasado y el presente.

Tercera Parte

El laberinto de los abanicos perdidos

I

Dios, cómo he llegado a estos mangles descalza, desnuda, ¡qué horror!, nunca he soportado andar sin zapatos y menos en medio de... ay, Dios mío, protégeme de tantos cangrejos y avispas.... no sé para dónde moverme. ¡El teléfono! ¡¿Está sonando el teléfono otra vez?! Que nadie lo levante. El teléfono no trae más que desgracias.

¿Estaré dónde...? ¡No!... Es una isla de mangle. Se ve el mar por todos lados. ¿Y cómo llegué hasta aquí? Me duelen los pies. Qué aire, qué ruido. ¡Un helicóptero! Seguro que vienen a salvarme. Pero que baje con cuidado, se me van a romper los tímpanos, me va a tumbar esta centrífuga de viento. Me van a mataaaar...

¡Andrea!... No, es Ligia. ¡Ligia!, no, es Andrea. Es que no puedo correr, no puedo andar, estoy sin zapatos, los pies me sangran. Me corre el sudor como si fuera agua de mar en medio de este calor asfixiante. ¿Cuál de las dos se está bajando del helicóptero? ¿Quién es?

—Mi amor, me traes ropa, gracias... ¡y zapatos!... Gracias An..., ¿Ligia?

¿Un ojo azul de Andrea y el otro negro de Ligia? ¿En la mano izquierda el anillo que le regalé a Ligia y en la derecha aquel reloj que le dejé a Andrea? ¿Y la boca...? ¿Una mitad con los labios de Ligia y la otra con los de Andrea? Monstruoso.

—Quédate con nosotras.

—¿Con ustedes?

—Sí. Vinimos a verte. Vístete. Estás toda arañada.

—¿Ligia no se había muerto?

—Ni se va a morir. Estrés. Lo mejor es hacer ejercicio. ¿No te sientes gorda?

—Un poco.

—Brinca, brinca para que bajes de peso.

—Yo no brinco. Yo vueloooo...

Ahhhhh, me gusta volar y volar, salir de la isla de mangle. ¡Cuántas casas bonitas, amarillas y blancas!

—Mamiiiii. Soy yo. Adiós, adiós. Ya sé que estás preparando tu viaje para venir de visita, te voy a mandar el dinero. Me alegro de que ya no te importe que yo viva con una... Papaaaaaá, ya estoy en los Estados Unidos, ya llegué, no te preocupes por mí...

¡Qué sol tan bonito, cuánta luz... me encandila! ¡Aaahhhhh! ¿Y ese claxon tan fuerteeee? Es un camión. ¡Ave María!... Ni miré para el carril de la izquierda, si llega a venir alguien por ahí, me lo llevo con el corte que di.

Dios, me quedé dormida manejando en medio de la autopista, por poco me hacen papillas... menos mal que me pitó a tiempo. ¿Qué hora es? Las cuatro, el avión llega a las cinco. Qué dolor de cuello, seguro que fue el tirón de la cabeza cuando me dormí en ese instante. Tuvo que ser un segundo, si no, estaría muerta. ¿Será bueno pasar del sueño a la muerte? ¿Quién sabe?

Andrea a punto de llegar a Miami, casi que no lo puedo creer. ¿Qué haré cuando la vea? Ojalá no se demore el avión, no puedo dejar a Ligia tanto rato sola, lleva encerrada quince días en la casa con el reposo que le mandó el médico.

Voy a parquear aquí, El Dolphin es el parqueo que más me gusta de este aeropuerto, debe ser por el pez que tiene dibujado afuera, ¡cómo adoro el mar! Estoy en el 2-B, no se me puede olvidar, no, no, no que después no encuentro el carro... ¡Josefina y Rauli vinieron por fin, qué bueno! Me hace tanta falta gente que me apoye.

Ya me vieron, qué casualidad encontrarnos en este parqueo. Ese jeans le queda macabro a Josefina, está demasiado flaca, no sé, tan desgarbada, más que de costumbre y «la marida» anda con «aro, balde y paleta», tan «arregladita» que parece una mascarita. Cuando se me sube el «criticrómetro» no me aguanto ni yo misma.

¡Qué perfume más rico tiene Josefina! Con ese olor da gusto abrazarla la vida entera, aunque esté tan feúcha. Ay, Rauli, Rauli, siempre das los besos tirados al aire, como con asco de tocar con tus labios a cualquier mujer. Son tan adorables los dos, y hablan y hablan sin parar, ya no me importa nada, me conducen, no tengo que poner ni una neurona en encontrar la puerta por donde debe salir Andrea. Hoy no entiendo ni los chistes de Josefina, pero reír me hace bien, la verdad que ni siquiera les presto atención. ¿Cómo llegará Andrea?

El vuelo todavía no ha llegado, no aparece en esa maldita pantalla. Bueno..., no tiene tiempo todavía de aterrizar. Lo de siempre, la gente lo resuelve todo con un café, qué remedio, hay que dejarse arrastrar a las cafeterías y sumarse a la voluntad de la mayoría y llenarse de paciencia, hasta que encontremos el lugar que convenza a todos por igual. Ni sé de qué hablan tanto, por lo visto están evitando preguntarme por Ligia en este momento. Pues no, Josefina nunca se puede contener, quiere averiguarlo todo sin piedad, aunque sepa que me pone más nerviosa con tantas preguntas sobre Ligia.

—Nunca voy a dejar a Ligia y menos ahora que ni trabajo tiene y anda reponiéndose del estrés. Por poco le da una ataque al corazón. Es lo menos que puedo decir para que todo quede bien claro y nadie se vaya a confundir, y me dejen de preguntar. Rauli no cambia, ni muerto entra a La Carreta, aunque lo tengamos en las narices, detesta los restaurantes cubanos por el olor a comida que se le impregna en la ropa. Él prefiere alguna cafetería con nombre francés o algo por el estilo, aunque le quede en el otro extremo del lobby del aeropuerto.

Pero bueno, no se puede negar que Rauli tiene buen gusto, desde el punto de vista europeo. Estas mesitas están divinas, «perras», como dice él, pero yo no estoy de humor para deleitarme por nada.

—Sí, un café, expreso. No, ya no estoy comiendo dulces. Sí, estoy más gorda de la cuenta.

No sé, en este país todo engorda, entre las hormonas, las vitaminas y toda la porquería que tienen los alimentos... Josefina come de todo y no engorda. Te envidio, flaqui.

Mira cómo Jose pone los ojitos pícaros, le encanta que le halaguen su flaquencia, pero con todo lo chic que se ve no encuentra pareja. A pesar de estar fea, pudiera ser una de esas mujeres que modelan por pasarelas famosas como maniquíes que, por lo menos a mí, no me erizan ni un pelo con esa feminidad tan estilizada e irreal, y esos trajes que nunca nadie se va a poner, salvo contadas excepciones.

Soy horrible, tanto que tengo que agradecer a mis amigos... Si no fuera porque están aquí, me estuviese halando los pelos con la demora del vuelo. Siempre se han portado tan bien... pero hoy estoy agria, sin saber qué voy a hacer con mi vida y con la vida de los demás.

¡Ésa es Andrea! Viene para acá, ¿cómo es posible si el vuelo no ha llegado, o por lo menos no lo han anunciado? Estoy segura de que es ella.... tengo las piernas flojas, no sé si pueda pararme.

—No, no me pasa nada. Esa muchacha se me pareció a Andrea. Sí... yo también creo que me estoy volviendo medio loca. Jamás se parece a ella. Estoy viendo visiones todo el tiempo.

Y pensar que cuando llegué a esta ciudad me entusiasmaba tener a quien esperar en el aeropuerto, nunca me imaginé que pudiese ser tan angustioso. Este celular tiene un sonido desesperante y lo peor es que casi nunca me da tiempo a sacarlo del bolso. ¡Ya lo tengo!

—¿Estás bien, Ligia? No ha llegado el vuelo todavía. Voy para allá lo más rápido que pueda.

En este país uno no puede ni meterse debajo de una piedra porque te encuentran. Pobre Ligia, está desesperada, ojalá no se vuelva a poner mal, tengo tanto miedo que le pase algo por mi culpa, yo la quiero tanto y nunca la voy a dejar. ¿Pero qué voy a hacer con Andrea? Y ahora Josefina y Rauli mirándome con caras de espanto, como si las dudas no los trastornaran nunca a ellos.

Después del café, lo acostumbrado es salir a fumar, debe de ser por eso que se están levantando, ni cuenta me di cuando pagaron, qué pena..., aquí el café debe de ser carísimo, como todo en el aeropuerto, bueno, para la próxima pago yo.

El calor de acá afuera es asfixiante, sobre todo cuando uno sale del aire acondicionado. También voy a fumar, los nervios me ponen horrible, cada vez que veo a alguien fumando me da deseos; si no los veo, no cojo el cigarro, pero estoy que hasta las manos me tiemblan. Creo que nunca voy a poder cazar la llama de la fosforera con la punta del cigarro.

—Sí, es mejor que me lo enciendas tú, Jose. Gracias.

La gente tiene paciencia conmigo, menos mal... Ahhhhh, qué bien me hace esta bocanada de humo, es una sensación fuerte, irritante, que me pone el pensamiento en el recorrido del humo y me distrae... Ningún cuento me distrae, ni me saca de la cabeza el martilleo de este par de ideas recurrentes.

Ligia tiene prohibido fumar después del susto con el corazón. Voy a regresar a casa con olor a cigarro, tal vez Ligia me encuentre apestosa, no voy a poder ni abrir la boca hasta que me lave los dientes. Como a mí me repugnan tanto los malos olores de las gentes, pienso que a los demás también les debe molestar.

No sé si me estaré volviendo loca, a cada rato me dan mareos, náuseas, como hace días que no como nada, tal vez sea el cigarro que, literalmente, me mata. Rauli fuma como una femme fatal; pone la boquita tan simpática y Jose parece una mujer de mundo, se ve hasta más interesante. Los dos deben de estar hartos de mí, como yo lo estoy de ellos, pero son tan buenos; mira que estar aquí conmigo un día como hoy. ¿De qué estarán hablando? Bueno, los dos siempre hablan de sus conquistas amorosas. ¿Por qué seguirán casados? En Cuba tenía sentido por las apariencias, pero en este país, a quién le importa la vida de ellos... Claro, aquí no se puede vivir solo. Sin Ligia yo no habría podido. ¿Cómo se las arreglará Andrea? Ella es tan dependiente de los afectos... como yo. ¡¿Qué voy a hacer, Dios mío?! Bueno, al menos tiene un primo que se comprometió a recibirla.

¿Y ahora, a dónde vamos? De nuevo a la pantalla. ¡El vuelo está aterrizando! Ay, el corazón se me quiere salir. Volamos con esta prisa para llegar pronto a la puerta por donde saldrá Andrea. ¿Estará prieta del sol, como llegan los que vienen de Cuba? Las gentes, en cuanto aterrizan, hablan boberías y boberías, vienen con una idea tan equivocada de Miami, con planes tan irreales. Bueno, así llegué yo también, como si los problemas de Cuba fuesen los únicos en el mundo y como si yo supiese mucho de la vida en los Estados Unidos. Tendré que tener con Andrea la misma paciencia que los demás tuvieron conmigo. ¡Ya no soporto a la gente recién llegada!

Dios, ha caído la noche de golpe, qué me pasa, me estoy quedando dormida en todas partes, me despierto tan sobresaltada, dónde estoy. Por cuánto tiempo estuve ausente. Ya Andrea está aquí.

¿Cómo pude dormirme Andrea si te tengo conmigo? Cumplí mi promesa, te traje. Tenemos que recuperar todos estos años. Querernos mucho. ¿Dónde estamos? ¡Qué linda estás, Andrea, es increíble volverte a ver desnuda, rosada, limpia, joven! ¿Por qué callas? Siempre con esa sonrisa de silencio y tus ojos tan azules que me pierdo allaaá, donde debes tener el alma. ¿También estás disfrutando este momento? Boba. No me quieres hablar, pero sé que estás a gusto. Acaríciame, mi amor, siempre has sido tan tierna. Siempre, menos cuando pones cara de lujuria. Nunca soporté tus instantes desenfrenados, cuando te olvidabas de que eres poeta y dejabas la sensibilidad extrema a un lado, para sacar la lengua como si fueras una serpiente o un demonio. No me mires así, no te molestes, no te pongas brava, es mejor que te diga todo lo sublime que eres cuando no pierdes la cabeza. Ven acá, mi amor, sonríeme de nuevo. Estás divina. Voy a tener que cuidarte mucho aquí porque vas a despertar intensas pasiones entre las gentes tan aburridas y vacías que van a las discotecas a mover el cuerpo sin sentido. ¿Quién dijo que bailar es divertido? Es bueno bailar cuando le nace a uno del corazón y se produce la entrega, la unión con la música, si no, no vale la pena. Tú eres música, mi amor. ¡Bravo! Volviste a sonreír, pero ¿cuándo me vas a hablar? ¿Tuviste amantes en Cuba? Dime, Andrea, ¿viniste comprometida con alguien? ¿Le hiciste alguna promesa de traerla a Miami? Ya sé que no vas a decir nada, pero sería terrible que el círculo se repitiera de nuevo. Si dejaste a alguien, no permitas que pasen los años, para que luego no quiera, a su vez, traer a otra. Es un consejo sano. Además, no quiero que pases por lo mismo que yo. Pero dime algo, Andrea, ¿vas a estar todo el tiempo muda? ¿A que si te pregunto por el teatro, hablas? Te dio risa, ¿eh? Cuéntame, ¿qué has escrito en los últimos tiempos? No te pongas triste. ¿No estás haciendo nada? ¿Es eso lo que me quieres decir? Tú eres muy joven, Andrea, tienes un mundo por delante. Cuando te estabilices aquí podrás hacer lo que quieras, todo depende de ti. ¿Por qué no te lanzas a escribir narrativa? Tú puedes ser buena en cualquier género y tienes la escuela del teatro que siempre te va a ayudar. Las novelistas cubanas están teniendo mucho éxito en estos momentos, podrías aprovechar el interés de las editoriales. Y al teatro no tienes que renunciar, lo haces cuando se pueda. No sabes cuánto me dolió dejarte en Cuba. Por cierto, mi mamá anda en los trámites para venir de visita. Imagínate que hace dos años me llamó para insultarme porque yo vivía con una... y ahora no le importa, sencillamente dice que quiere verme. La gente cambia, ¿no? ¿Crees que yo he cambiado mucho? Bueno, estoy más gorda, tengo más años. Nunca has dejado de tener esa fuerza en la mirada que mata a cualquiera. Aunque no me lo quieras decir, sé que me encuentras cambiada. Yo, por fuera, te veo igual, claro, no sé lo que piensas. Todo este mundo te debe ser muy ajeno, ya yo me acostumbré, pero me costó trabajo. Deja ver... si me pongo en tu lugar, desde mi experiencia, me imagino que las gentes para ti deben de ser crueles y duras, materializadas, eso sí, muy educadas, todas te dicen dos frases clave: buena suerte y tranquila. Puedes estar muriendo de cáncer, no tener trabajo, caerte por un precipicio... siempre te van a decir lo mismo con una sonrisa de oreja a oreja y luego, cada cual a sus problemas. ¡El teléfono otra vez! Este celular no para nunca. Perdóname un momento.

—Sí, dime. Enseguida, enseguida voy para allá. Es Ligia. Se siente mal. Perdóname pero tengo que irme.

¿Dónde estoy? Mi carro debe de estar aquí, ¿no? Por favor, necesito que me respondas, es urgente. Tengo que irme. Entiéndelo. Yo quiero mucho a Ligia. Me acostumbré a ella hace muchos años. Ella y yo somos iguales, crecimos juntas en este país, nos une una historia de calamidades y éxitos. Sí, nosotras también tuvimos una historia común, pero las atrocidades de esa vida en Cuba las veo lejos. Los peligros presentes están aquí, como esta angustia de saber que Ligia ya no tiene seguro médico porque renunció al trabajo y, ¿sabes?, se está muriendo. Ni se te ocurra pedirme que me tranquilice, tú no entiendes de qué te estoy hablando. Te debe parecer simple mi argumento, al lado de las miserias de allá, pero ésta es mi vida y pronto será tu vida también, entonces entenderás por qué me voy ahora con Ligia. ¡El teléfono! ¡Ay, Dios mío, Ligia debe de estar muy mal! Buena suerte, Andrea. Vengo mañana si puedo.

—Hello, hello... —si descolgué, ¿cómo puede seguir sonando? ¡Este timbre me saca de quicio!

—¿Eh... ah...? ¡No! No es el teléfono, es el despertador. ¿Dónde está Ligia? Por Dios, si la tienen ingresada en el hospital. Me dan pesadillas cuando duermo sola... y este dolor por todo el cuerpo. Es tan malo no acordarse de lo que uno acaba de soñar y sé que soñé muchas cosas importantes, pero nada. ¿Cuál es el número del cuarto...? Aquí está. Dos, siete, uno, treinta y cuatro, treinta y tres. ¿Ligia? Buenos días, mi amor. Enseguida paso por allá. Bueno, hoy es domingo... me voy a pasar todo el día contigo. ¿Te van a dar de alta? ¿De verdad? ¡Qué bueno! Es la mejor noticia. ¿Cómo es eso de que Andrea está contigo en el hospital?... ¡Ahhhh! Que la lleve al hospital. Pero si ella no ha llegado. ¿Hoy? Andrea no viene hoy. Bueno, no sé, creo que estamos a quince, ¿no? ¡Estamos a dieciocho! Tienes razón. Andrea llega a las tres. La verdad, que aunque estés de alta no sé si será bueno que vengas conmigo a esperarla... No te pongas así. Aunque no quieras voy a buscarte. Yo soy quien te tiene que traer a la casa. ¡Ligia, Ligia!

En estos momentos quisiera ser una naranja y partirme en dos. Me gusta este apartamento. ¿Cómo se vería Andrea aquí, bajando conmigo a la piscina... durmiendo en esta cama... no, no me la imagino. Este lugar es de Ligia y mío. Andrea y yo no tenemos un sitio en este país. Le voy a enseñar la ciudad en cuanto se baje del avión... Coconut Grove, el Down Town, Coral Gables... Sí, algunas veces soñé con enseñarle todo Miami, yo sé tantos detalles de aquí que ella necesita conocer... pero va a ser una complicación su llegada, no cabe duda. Aunque quisiera tanto que Andrea acabara de llegar y pasaran los años, para que todo este alboroto de su llegada quedara en el olvido y me dejara de roer por dentro la impaciencia de no poder determinar la magnitud del conflicto que, indudablemente, traerá su presencia.

Cuando venga mi mamá también va a ser un dolor de cabeza... es difícil colocar bien las piezas del pasado en el rompecabezas del presente y más cuando la diferencia de ambos mundos no sólo es de tiempo, si no también de espacio. La Habana está tan lejos... el final del siglo queda tan atrás. De Cuba no guardo ni el abanico chino que me regaló mi tía cuando cumplí los ocho años... ja... mi recuerdo de la Isla está atado a una chinería y no a un mamey o a una palma real.

¿Todavía estará en la basura mi abanico? No debí botarlo, siempre fue el alfiler que me unía a la finca de mis padres porque el cuarto de La Habana Vieja lo olvidé enseguida. Me parece ahora mismo que estoy cabalgando sobre mi yegua negra... o tomando leche recién ordeñada... ¡Qué bueno, viene mi mamá! Hace años que no nos vemos, ¿estará mandona como antes?... El arroz con leche le queda buenísimo... ¿todavía lo hará tan rico? En la foto la vi tan vieja, es como si le hubiesen serruchado las garras a la fiera. Antes me espantaba, ahora me conmueve.

Ya ni me acuerdo bien de cómo era mi abanico... ¿estará todavía en el basurero del edificio?

II

Buscar el abanico perdido entre los desperdicios fue como andar en medio de un pantano, bajo la mirada burlona de un sapo que, sabiéndose conocedor del fango, observa impasible tu hundimiento.

Olvidando limpiarse el desaliño de sus pesadillas recientes, Marta se vistió con la ropa usada del día anterior que encontró tirada sobre el butacón del cuarto, abrió la puerta del apartamento, entró al ascensor y, bajando hasta el sótano del edificio, se encaminó al contenedor de basura. Un vecino que dobló su auto para sacarlo del parqueo subterráneo se quedó mirándola como si se tratara del protagónico de algún film con tema sobre el mundo marginal.

Marta iba ansiosa por dar con el paradero de aquel abanico que ella misma botó, pero al llegar al contenedor comprobó que era realmente alto como para mirar dentro. Indecisa, estuvo varios minutos analizando la situación, hasta que decidió brincar, logrando poner un primer pie en el borde, pero se resbaló en el primer intento, golpeándose la rodilla derecha con tal fuerza que perdió el aliento.

Tardó unos minutos en recuperarse de aquella estocada en su rótula. Tuvo que respirar profundo, morderse los nudillos de la mano, pensar en el incienso hindú que tanto le gustaba, hasta que, un tanto más relajada, recobró el color normal de sus mejillas. No obstante, Marta persistía en su descabellado propósito de recuperar el abanico chino y, aunque medio frustrada, ideó subirse a una de las ruedas del contenedor. Logró, para su alegría, saltar desde ese punto hacia aquel conglomerado de bolsas que se desinflaron bajo sus pies.

Dentro estaba oscuro y, a pesar de las envolturas plásticas, el olor era desagradable. Cuando sus ojos se acostumbraron a la poca iluminación, Marta trató de adivinar cuál bolsa era la de su apartamento. Le resultó una tarea difícil. En un primer momento le parecía imposible reconocer su porquería en medio de tanta inmundicia, y entonces deseó tener la misma orientación certera de un gusano o una cucaracha en el mundo sordo y oscuro de los desperdicios.

A sabiendas de que en aquel universo no encontraría letreros lumínicos ni señales de tránsito que la pudieran guiar, recurrió a sus instintos animales y trató de agudizar el olfato y la vista; pero sabía que tenía su nariz perdida desde la infancia, como resultado de una alergia que la había perseguido por siempre. La vista tal vez podría darle la pista necesaria y, esforzando sus ojos, logró ver a través de las transparentes bolsas plásticas latas vacías, cáscaras de frutas, sobras de comidas, cajas de cartón que antes de ser lanzadas por la canal del edificio perdieron, a la fuerza, la voluminosidad de sus formas, convirtiéndose en superficies inservibles y deformes. Con agilidad y obsesión fue apartando las bolsas hasta que divisó una que, evidentemente, contenía papeles quemados. No lo pensó dos veces y la abrió, convencida de que se trataba de las cartas que ella destruyó. En efecto, allí estaban los desperdicios de tantas promesas escritas, de tantas verdades omitidas que a su vez, le hicieron crear tantas mentiras. En el fondo, deshecho, estaba el abanico chino.

Tomó las varillas sueltas del abanico con aire triunfal, realmente estaba segura de que lo volvería a armar como un rompecabezas y sintió que, en realidad, no había perdido nada. Contenta, se dispuso a salir fuera del contenedor de basura y, sólo entonces, calculó que no le sería muy fácil saltar de un espacio tan hondo hacia la luz.

Durante el primer minuto brincó, se esforzó, apiló las bolsas de basura para subirse encima de ellas pero sólo logró reventarlas y desparramar su contenido, expandiendo sus pestilencias. Marta se sintió pegajosa, sucia y encerrada. Una desesperación empezó a invadirla hasta hacerle pensar que podía morir dentro de ese horrible basurero sin que nadie alcanzase a descubrirla. Nerviosa, fue apretando las varillas rotas del abanico hasta convertirlas en astillas irreconciliables, en tanto repasaba miles de posibilidades en su mente, sin lograr inventar la forma de salir.

Sintió aguijonazos en su piel y sólo en ese momento, después de tantos años, comprendió la desesperación de Andrea cuando decía sentir que le cortaban la piel en pedazos como producto de su imaginación. Los dientes le rechinaron y empezó a temblar de miedo. Sin lograr contener los espasmos de su cuerpo, de la garganta le brotó un grito involuntario de espanto que repetido inconscientemente, se convirtió en una espeluznante llamada de auxilio, reforzada por los fuertes piñazos con que empezó a golpear las paredes del contenedor.

Pero tal escándalo a media mañana del domingo era un esfuerzo sordo en medio de un parqueo sin movimiento de empleados, ni de inquilinos que a esas horas descansaban los excesos de la semana. Marta estaba sola en su agonía y cansada de sus esfuerzos, se quedó inerte, pensando que de seguro, al día siguiente, lunes, los encargados de vaciar los contenedores darían con ella.

Era cuestión de esperar veinticuatro horas, aunque, en verdad, Marta no sabía bien si las sobreviviría de tan sólo pensar que Andrea la estaba esperando en el aeropuerto y Ligia se disponía a salir del hospital con alguna amiga, prescindiendo de su ayuda. Se dio cuenta de que estaba a punto de perder a las dos, y el temor por quedarse de nuevo sola la hizo erguirse impaciente entre las bolsas de basura.

III

Andrea suspiró al contemplar desde el aire la ciudad de Miami, y deseó que en ese instante corrieran los meses y los años para conocer, desde ahora, cuál sería su destino en aquel nuevo país. Impaciente, miró su reloj con la tentación de avanzar las manecillas, pero «de qué me valdrá un reloj que no lleve en su corazón el tiempo real de la vida», pensó, y ya resignada decidió esperar el futuro como cualquier mortal: respiró profundo y se relajó en su asiento.

Al cerrar los párpados buscando alivio a sus tensiones, vio la imagen de Marta, hacía años que no recordaba tan detalladamente su rostro. Cierto que casi a diario la tenía presente, pero lo hacía sin emoción, como si se tratara de algún familiar muerto mucho tiempo atrás. Sin embargo, su inminente aterrizaje en Miami le hacía revivir los deseos de tenerla frente a frente y preguntarle cómo pudo morir tanto amor.

Andrea se sentía como la heroína de cualquier novela que merece un premio luego de tantas peripecias. Entonces, empezó a imaginar que tal vez Marta le ofrecería su cuerpo con afán de curar las angustias pasadas, en tanto ella esperaría, secretamente, por Roxana, su actual amante, quien se encontraba en Brasil, aguardando un vuelo con destino a Miami. Sin duda, ésa sería la novela que hubiese escrito para su propia vida; los nervios le estaban reviviendo el aire de conquista dormido en la adolescencia.

Recostada en su asiento, en medio de tanto delirio íntimo, Andrea recordó a su maestro Sebastián representando al *Rey Lear.* «A todos, menos a sí mismo, les pudo dar vida como si fuera Dios. ¿Por qué a ratos me creo la protagonista de un guión filmado en mi imaginación? Debo de estar loca... cada día más.» Y volviendo a la realidad, escuchó «Bienvenidos a Miami». Las gentes soltaron sus cinturones de seguridad y los más ágiles, luego de tomar con rapidez sus equipajes de mano, salieron a los pasillos para llegar hasta la puerta más cercana. Andrea se quedó petrificada en el asiento, no sabía si presenciaba el amanecer o el ocaso desde una de las ventanillas, lo cierto es que el aeropuerto se veía muy elegante con tantas luces.

Con el tiempo perdido y el deseo de tener cerca a Roxana que estaba tan lejos, Andrea bajó del avión y fue andando por el camino que le señalaban, como una autómata, hasta topar con el último lugar de aquella fila interminable en la aduana.

Pasajeros de al menos tres vuelos procedentes de distintas partes del mundo permanecían aglomerados en el salón. Y Andrea volvió a dudar, como lo hizo hacía tan sólo unas horas, durante su última madrugada sobre el camastro de Cleopatra, que Marta estuviese afuera esperándola, aunque lo deseaba con todas sus fuerzas.

Andrea miró la hora en un reloj de pared que tenía al frente, eran las siete, ¿pero de la mañana o de la noche? Molesta consigo misma, decidió no preocuparse más por el tiempo, entonces le vino a la cabeza Roxana con su aire desenfadado.

Se conocieron cuando la Isla parecía vacía y las gentes se alimentaban de las noticias de los ausentes. En aquellos días, Andrea, apenas sin poder andar por el desánimo, lograba alcanzar El Prado y sentarse en uno de sus bancos para recordar los tiempos de ensayos en El Teatro de Varietés, cuando todavía su proyecto teatral no había sido suspendido. Allí abría cada mañana las cartas viejas de Marta y las releía hasta imaginarse andar con ella por los mismos sitios que iba descubriendo en sus relatos. Deseosa por completar el delirio de su mente, trataba de entender qué era un condominio, o un banco moderno con máquinas para sacar dinero, o una piña colada. De paso, aprovechaba el canto de los pájaros que habitaban en los árboles del paseo, para musicalizar las secuencias de su corazón.

Un día, sentada como de costumbre en el mismo sitio, comprendió de golpe que Marta le mentía. «¿Quién estará, siempre, detrás de la cámara fotográfica?», se preguntó al repasar las fotos recibidas durante años. Marta aparecía retratada en todas las excursiones y viajes sola, por lo que «el fotógrafo» era su acompañante real y no Andrea, que en sueños creía tomarla por el talle y abrazarla allá en las montañas de Colorado, o frente al apartamento recién alquilado de aquel lugar, al parecer, tan exclusivo. De repente, decidió devolverle todas las cartas para no jugar más al peligroso juego de recordar el amor que evidentemente ya no existía.

Sólo entonces Andrea se percató, al levantarse del banco, de que alguien la observaba desde la acera de enfrente. Poco le interesaba entrar en conversaciones con un ser desconocido, justo cuando la realidad le acababa de matar esa necesidad de creer en Marta. Pero la figura cruzó la calle y se adelantó hacia ella. De cerca, Andrea pudo observar la mirada tímida de aquel gusarapo que se atrevía a perturbar sus tormentos. Venía vestida con una bata blanca y era la doctora que días atrás la había atendido en el Hospital donde estuvo ingresada.

—Me pregunté, desde lejos, si eras tú o no. ¿Cómo sigues?

Ante la pregunta de Roxana, Andrea se encogió de hombros, esforzándose por sonreír a quien le debía agradecer el andar sana por las calles, luego del ataque de hipertensión que había sufrido durante los últimos días.

—Me siento bien —fue su respuesta.

—Vivo cerca de aquí. Acabo de salir del cuerpo de guardias del hospital. Tengo el día libre y tengo un hambre... ¿Por qué no me acompañas a un paladar que está al doblar? Es bueno. Pago yo... No me digas que no. ¡¿Sí?! ¡Así me gusta, que te animes! Desde ayer estoy de suerte. Anoche un hombre se puso tan contento cuando le repetí como tres veces que no se iba a morir, que metió la mano en el bolsillo y me dio tres dólares.

Y como Roxana vio que Andrea aún titubeaba, la tomó por el brazo y la condujo al restaurante clandestino.

Entraron a la sala de una casa donde se mecían en sendos sillones dos mujeres negras que conversaban animadamente, mientras esperaban por su merienda. Andrea se angustió de tan sólo traspasar la puerta. No resistía a las gentes que hablaban alto y menos de intimidades. Roxana, adivinando la intranquilidad de Andrea, le pasó un brazo por los hombros, ganándose la mirada indiscreta de aquellas mujeres. Del fondo de la cocina aparecieron, enseguida, los dueños del paladar. Venían sonrientes, trayendo el pedido en sus manos y se las ingeniaron para saludar a Roxana con guiños y bromas de bienvenida.

—¿Podemos sentarnos en el patio, Rolando? —preguntó Roxana.

—Todavía no tenemos el almuerzo listo, es muy temprano, pero como te veo tan bien acompañada... ¿Qué tal les vendría una cerveza?... Ahí en el patio, con el fresco tan rico que corre... Te voy a llevar bien con el precio.

Satisfecho con las miradas de aprobación de las muchachas, Rolando prosiguió:

—Le asentó de lo mejor a mi mamá el antibiótico que le conseguiste, Roxana. —Y con un batir de sus manos, las invitó a seguirlo.

Mientras las jóvenes se dejaban conducir por el dueño del restaurante hasta el patio, penetró en sus oídos la voz de una de las mujeres que, sentada en la sala, trataba de acaparar la atención de Tania, la esposa de Rolando, con su conversación.

—No es fácil. La gente piensa que esto es de lo más sabroso, pero hasta de artista una tiene que hacer. Vete y despide al francés en el aeropuerto y llora, llora, para que piense que una está enamoradísima de él y quiera volver otra vez, llora aunque las lágrimas no te salgan y tengas tremendo susto porque dentro de media hora debe estar llegando al aeropuerto el gallego que conociste hace seis meses y se quiere casar contigo, aunque tenga tremenda peste, pero si te saca para España, ni se diga... a vivir la vida y mantener a los negritos desde allá. Por suerte todos estos extranjeros son unos... bobos. Hija, es que las cubanas somos las mujeres más cotizadas del mundo.

El patio tenía varias mesitas de plástico, Roxana y Andrea se sentaron donde daba la sombra.

—La primera cerveza, va por la casa.

Y en tanto Rolando se fue al interior de la vivienda, las muchachas se sonrieron al sentir el placer de la brisa mañanera. Entonces, Andrea pensó en las vueltas del destino y palpó desde la superficie de su mochila el mazo de cartas que pronto le haría llegar a Marta. También le vino a la mente el día en que René le enseñó su pasaporte con visa a México. Hacía tanto que no sabía de él. Pero enseguida llegó Rolando y aquella cerveza tan fría le mejoró el humor.

Sentir de nuevo el placer de compartir la mesa con una mujer agradable llenó de regocijo a Andrea y con alegría comenzó a detallar el rostro de Roxana, sobre todo el abundante pelo rizado, que la hacía estar tan de moda, y los ojos grandes, profundamente negros que desde su interior despedían inteligencia. La médico era cálida, amable, y dueña de las manos más expresivas del mundo.

«Es real», se dijo Andrea sorprendida de tener frente a sí a alguien que la cautivaba con tan sólo mover sus dedos. «¿Se molestará si le toco las manos?», pensó. Y absorta, dejó de escucharla para tratar de descubrir los códigos del lenguaje mudo de sus manos. Comenzaba a comprender que se trataba de una mujer muy especial, a la que le parecía conocer de siempre.

—Si fueras actriz estarías salvada con esas manos —murmuró Andrea, rompiendo de repente, las confesiones que Roxana, desde hacía rato, se empeñaba en hacerle.

—¿Por dónde andas? ¿No me estabas prestando atención? —protestó Roxana al darse cuenta de que por más de diez minutos lanzaba sus palabras al aire.

—Perdona... Soy toda oídos. Cuéntame —rectificó, apenada, Andrea.

—Te decía que estoy haciendo las gestiones para ir a Brasil. Unos médicos me pusieron una invitación para dar unas conferencias...

Y como si no pudiera escapar de una culpa trágica que se encargaba de alejar cada amor de su vida, Andrea tragó en seco y bajó los ojos hasta ver las hormigas que como ejércitos se encaramaban en los árboles en busca de su sustento.

Entre el bullicio del aeropuerto de Miami, Andrea escuchó el llanto persistente de un niño y, cuando viró su cabeza hacia él, sintió que sus pies le dolían de tanto esperar en aquella fila interminable de la aduana. Perdió el interés por saber por qué lloraba la criatura y se detuvo a pensar en su situación actual: afuera la esperaba una ciudad desconocida, y con ella, nuevos retos para los que debía de estar lista. Entonces suspiró y volvió a dudar de Marta.

IV

Desde que llegó a Brasil, Roxana vivía obsesionada por experimentar una regresión a sus vidas pasadas. Como no tenía dinero suficiente para acudir a un especialista, decidió, a recomendación de sus amigos, comprar en español alguna bibliografía sobre el tema. Verdaderamente no sabía por qué le atraía tanto el pasado, si su futuro era inimaginable. Lo cierto es que, tal vez, persiguiendo curarse de ciertas fobias, como ésa de no resistir ver el filo de un cuchillo o un cristal roto sin que se le erizara toda la piel, y pensando en los tormentos de Andrea, la que de vez en cuando sentía que la cortaban en pedazos, se compró aquel libro, en busca de alguna explicación al por qué las dos temían ser heridas de forma irracional.

«Tal vez debí comprar un Tarot para saber qué me espera», se decía, mientras hojeaba el libro con el que pretendía viajar a otra época. Cuando iba a empezar a leer, sonó el teléfono de la casa donde permanecía, en tanto esperaba tener sus documentos listos para viajar clandestinamente a los Estados Unidos.

—Soy Pedro. Ya estoy llegando. ¿Mi mujer ya está ahí?

—No.

—Lo tuyo está arreglado para la semana que viene.

—¿De verdad? ¡Gracias, gracias por la alegría que me das! —gritó Roxana, pensando en que pronto se encontraría con Andrea.

—Si Constanza llega primero que yo, dile que voy a parar un momento en la casa de mi hermano. Chao.

—Chao.

Roxana colgó el teléfono pensando en todo lo que tendría que trabajar en Miami para pagarle a su amigo Agostino el préstamo de los ocho mil dólares que costaban los servicios de Pedro. Conmovida, se dio cuenta de que su futuro se esclarecía, mientras aumentaban sus ansias por conocer el pasado. Dispuesta a no detenerse más, abrió de nuevo el libro, apresurándose en seguir al pie de la letra todas las indicaciones.

Buscó dos velas, las encendió, cerró las cortinas de su cuarto, se sentó frente al espejo y colocó a ambos lados del marco los dos cirios ardientes. Luego se sentó a contemplar su imagen, sin pensar en nada.

Pasó tiempo sin que Roxana se moviera ni cambiara la dirección de su mirada. Era tal su concentración que no sintió las lágrimas que le corrían por las mejillas, ni el dolor que le atrapó la espalda. Nada podía ser más importante que ella misma frente al espejo. Por eso, cuando vio que su rostro se borraba paulatinamente de la superficie, sintió miedo. El corazón le palpitó a ritmo de tambor y casi se desmaya al ver surgir, en el lugar de su imagen, una luz. Hizo un esfuerzo grande para no levantarse de un tirón y olvidar aquella ridícula idea de investigar su pasado, pero un deseo firme de encontrar la felicidad le hacía persistir. Allí quedó, sentada, hasta que la luz comenzó a deformarse y su cuerpo tembló de pánico.

No lo podía creer, un rostro, al parecer ajeno, se fue recomponiendo, poco a poco, en la superficie del espejo. Los ojos se parecían a los de ella, pero tenían encima un par de cejas gruesas y arqueadas que los hacían más pequeños. La tez era color aceituna y el pelo tan rizado como el de ella. El ser movía los labios como si pronunciara una letanía o un rezo. De repente, hizo un giro con la cabeza y Roxana vio, claramente, que tenía un ojo negro y otro azul.

Lejos, sintió un ruido, como si alguien tocara a la puerta del cuarto, y en un santiamén, vio esfumarse la aparición que con tanto trabajo logró distinguir. Exhausta y molesta, se dejó caer al suelo sin reparar en la insistencia de quien llamaba desde afuera.

Mucho tiempo pasó sin que Roxana lograra recuperarse del impacto que le produjo aquel ser de ojos desiguales. La imaginó huyendo, escondiendo su mirada para no ser condenada por llevar visible el signo de las brujas.

«Antes y después —se dijo— persiguen a las gentes por las diferencias», y la atormentó el recuerdo de verse saltar por las ventanas de una casa, dejando a sus amigos dentro, en medio de una gran confusión. La policía afuera llevándose presos a todos los jóvenes que participaban de aquella fiesta gay, y ella corriendo desesperadamente, en medio de la noche, hasta lograr alejarse del lugar sin ser vista y tomar un ómnibus. A la mañana siguiente, un dirigente estudiantil informó en el aula de la expulsión de sus amigos de la escuela de medicina, acusados de lacra antisocial y, lo peor, aseguró que permanecerían en prisión varios años porque los atraparon en una fiesta de m... Y así fue.

Roxana se hizo médico sin lograr quitarse de encima las culpas, sobre todo porque su mejor amigo, Mario, después de salir de prisión, buscó una noche solitaria para dejar este mundo, sumido en el silencio cómplice de los suicidas. «¿Por qué salté y no avisé a nadie?», volvió a preguntarse, en tanto le vino a la mente, de nuevo, la imagen de la mujer de ojos diferentes.

«¿La habrán herido de cuchillo?», «¿por qué me erizo de tan sólo ver el filo de un cristal?». Y más confundida que antes, Roxana se quedó dormida. Los dueños de la casa, preocupados porque no salía del cuarto, decidieron entrar y allí la encontraron, casi inconsciente por una fiebre alta. El matrimonio dio gracias a Dios porque después de un baño de alcohol, Roxana se reanimó un tanto y sólo cuando la vieron mejor, se percataron de las dos velas apagadas colocadas a los lados del espejo. Consumidas de un tirón, dejaron tras el fuego las huellas desparramadas de su cera derretida.

V

Cuando a Ligia le dieron de alta en el hospital, nadie vino a recogerla. En silencio, decidió tomar algún ómnibus que la llevara a casa, aunque aún se sentía convaleciente y deprimida. En el trayecto del viaje, fue dándose cuenta de que estaba abandonada y sola, por lo que trató, en medio de su tristeza, de organizar, al máximo, cada detalle de su existencia, como si en ello le fuese la vida. Ahora llegaría al apartamento, abriría el refrigerador, se serviría agua, la tomaría, colocaría el vaso en su lugar y luego cogería el periódico para tratar de buscar algún empleo, pero como eso nunca daba resultados, pensó que mejor debería llamar a su amigo Pepe, quien trabajaba en un hotel, para ver si allí tenían plazas disponibles.

Ligia se sentía vieja para emprender otra carrera. Estaba harta de verse precisada a empezar, una y otra vez. Sin embargo, no le quedaba más remedio. Tenía la necesidad de sobrevivir y debía ser valiente. «Pero, ¿con qué fuerzas?», pensó, mientras recordaba, caminando por la acera, el auto que tenía parqueado en el condominio. Y así, llena de angustias, abrió la puerta de su casa.

Con un solo vistazo al apartamento, Ligia se llenó de ira y postergó todos sus planes de estructuración vital. No lo podía creer. Ante sus ojos saltaban las ropas y pertenencias de Marta y de ella, tiradas por el piso de la sala y el cuarto. Caminó un poco más y en la cocina se encontró con una montaña de platos sucios que desbordaba el fregadero. Cuando abrió el baño, casi se cae de la ira, al ver que la llave de agua de la bañadera estaba medio abierta, y el jabón, derretido, chorreaba por los azulejos, como si en años nadie hubiese limpiado las paredes. Se puso roja y alterada, pero en un segundo decidió que ni Marta ni nadie lograrían que ella y sus arterias explotaran en mil pedazos.

Corrió al balcón en busca de alivio, abrió las puertas de cristal y allí vio el cenicero lleno de cabos de cigarros, vasos en el piso, revistas mojadas por la lluvia, todo un panorama como para hacer más desagradable su regreso del hospital. Entonces, comenzó a creer que todo era un plan de Marta para que ella decidiera irse, ahora que Andrea vendría a vivir con ellas. Pero un viento impertinente entró de golpe al balcón y sacudió, con fuerzas, las páginas de una revista garabateada en los márgenes, por Marta. El trazo era fuerte y disparatado, tanto que le reveló a Ligia el estado de desequilibrio mental que tenía su amiga.

Intrigada, Ligia tomó la revista y alcanzó a leer: «El sarcófago la atrapó, como una araña a la mosca...». «Yo soy el sarcófago que traga todo a su paso»... «el sarcófago y yo»... «me prefiero quemada antes que podrida dentro de un sarcófago»...

Comprender que Marta estaba muy mal, le sirvió a Ligia para colocarse de nuevo en la posición de equilibrio y fortaleza de aquella unión que aún, ninguna de las dos, daba por terminada.

La primera salida de Ligia fue llamar a Marta a su celular, pero como un eco, recibió el timbre del número que marcaba casi a su lado. Obstinada porque no veía el teléfono que le respondía, Ligia fue guiándose por el sonido, hasta que llegó al sofá, levantó un cojín y allí encontró el portátil de Marta abandonado. Miró el reloj y calculó que a esas horas Andrea ya debía de estar en el aeropuerto de Miami. Sin duda le sobrevino el impulso de ir a su encuentro, pero la frenó esa certeza de reconocer que su presencia contribuiría a una mayor enajenación de Marta. Resignada a esperar, decidió poner orden en casa.

«Así de regada debe de tener la cabeza Marta», pensó. A medida en que fue colocando las ropas en el closet, se percató de que Marta estuvo buscando algo por días, que, muy probablemente, no encontró. «¿Qué sería?», se preguntó. Pero cuando vio unas cajitas viejas de cartón, abiertas y abandonadas sobre la alfombra, Ligia ya no tuvo dudas. Marta estaba buscando su abanico chino, «Pero, ¿cómo era posible que ella misma no recordara el día en que lo arrojó por la canal de basura?».

Entre conjeturas, fue a la cocina. Cuando se dispuso a lavar los platos, su sorpresa fue grande al descubrir, a través de las sobras, que Marta había consumido todos los días lo mismo: sopa de pollo con fideos, de la que empacan en sobres. Además, se percató de que, diariamente, había comido de pie, apoyándose sobre la meseta de formica: lo delataba la superficie repleta de marcas de los platos calientes. Un nuevo análisis le reveló que Marta se tomaba la sopa leyendo el periódico, por el enorme bulto de prensa vieja que estaba encima del refrigerador. Todas estas señales eran extrañas para Ligia porque Marta no soportaba comer de pie, ni apurada, ni leyendo, y menos repetir el menú día tras día. En fin, cada nuevo paso le reafirmaba que Marta estaba trastornada.

A Ligia le dolía, tremendamente, el cuerpo, por todos los días en que estuvo acostada en la cama del hospital, pero la preocupación que tenía por Marta era tal que, en medio de aquella batalla por lograr el equilibrio de su espacio vital, la sangre le circuló mejor que nunca y las molestias físicas desaparecieron. Sólo de vez en cuando la emoción le paralizaba cualquier movimiento al contemplar alguna foto que colocada sobre un mueble contenía instantes viejos de felicidad. En esos momentos, el corazón le daba un vuelco, aspiraba alguna lágrima y seguía limpiando la mugre para ver si reaparecía la felicidad en casa.

VI

Sentada, en una dependencia de la aduana, Andrea sintió deseos de volver al vientre materno, o de estar en los brazos de su padre, como medio dormida la llevaba hasta la cama, sin que ella tuviese que preocuparse por nada. Estaba en apuros porque no la dejaban salir del aeropuerto sin una persona que se responsabilizara por ella. Así que, de no aparecer Marta, sería remitida a otro estado para vivir en cualquier albergue de refugiados extranjeros.

Andrea no entendía muy bien por qué seguía aguardando por Marta, si en realidad siempre dudó de que la recibiera. Lo más sencillo sería aceptar que la montasen en un avión hacia Las Vegas, como le habían propuesto, y borrar de súbito su pasado. Tal vez allá, entre las luces y los hoteles lujosos, encontraría su lugar.

Pensativa, en la aduana, Andrea se removió al recordar la tarde en que cansada de esperar en su estudio habanero por Marta, decidió salir a caminar en busca de aire fresco. No anduvo ni dos cuadras cuando vio doblar por la esquina a Marta, que venía jadeante por el esfuerzo de cargar una bolsa con viandas traídas de la finca de su papá. La vio tan linda que rompió en carcajadas.

Una prisa inmensa por encontrarse hizo que las dos apuraran sus pasos. Pero la calle era tan estrecha, concebida siglos atrás para el tránsito de coches tirados por caballos, que apenas los carros modernos cabían entre los contenes de ambas aceras. Y cuando las jóvenes se abrazaron, un camión que aceleró su marcha golpeó la mano de Marta y al suelo cayeron todas las viandas, rompiéndose despedazadas por las ruedas de otros vehículos que no atinaron a detener su andar.

«La ciudad se ha quedado estrecha para estos tiempos», se dijo Andrea en aquella ocasión, mientras trataba de aliviar la mano de Marta que hinchada por el golpe requería de calmantes y antiinflamatorios. De amante Andrea pasó a ser enfermera de una noche y para mantenerse despierta decidió escribir, llevándose, de vez en cuando, un puñado de azúcar a la boca.

Esa fue una noche especial. Mientras avanzaba, sintió que el tema de su obra era una historia retomada, tal vez, de las paredes húmedas de aquel destruido burdel de antaño que como un fantasma más volaba, letra por letra, hacia su inconsciente. Pero qué importaban esos recuerdos después de tantos años.

Cansada de esperar por Marta, esta vez en la aduana, Andrea se levantó lista para irse a un sitio distante de Miami, pero un desvanecimiento la hizo sentarse de nuevo. Algo, como un presentimiento, la detuvo, esta vez.

«Debía llamarla y salir de dudas —pensó—. ¿Y si le sucedió algo grave?... Idiota, ¿no acabas de entender lo que te está diciendo, por las claras, con su actitud?» Sin embargo, Andrea no atinaba a tomar una determinación. Su viaje a Miami le despertó el olvidado deseo de ver a Marta, hasta el extremo de convertirlo en un ansia más fuerte que cualquier razón.

Pero, de repente, Andrea vio de lejos una figura que por sus rizos negros y largos era el retrato de Roxana. Dudosa, se levantó y caminó hacia el cristal de la oficina de aduana para verla mejor. Al acercarse, comprobó que se trataba de una joven del Medio Oriente, adornada en la frente con una piedra verde, muy delicada. La muchacha, vestida con ropas occidentales, era un doble perfecto de Roxana, sólo que, por el movimiento de su boca, Andrea comprendió que hablaba una lengua distinta y, por demás, caminaba junto a un hombre recio que debía ser su esposo.

Aturdida por el bullicio de los altoparlantes que no cesaban de anunciar la salida y entrada de aviones, Andrea regresó al asiento de la oficina pensando en que, tal vez, estaba viendo visiones.

Sin embargo, al rato, Andrea volvió a levantarse sorprendida porque aquel hombre todo trajeado y elegante que llevaba del brazo a una señora encantadora, era su papá. El hombre ni se percató de que alguien lo observaba detrás del cristal de la aduana. Sin embargo, era tan parecido a su padre que Andrea tomó su indiferencia como una negativa de él a reconocerla en el nuevo mundo, llegando a entristecerse por algo que ella misma consideraba totalmente irreal.

Sin recuperarse del impacto que le produjo la aparición de su padre, Andrea volvió a saltar de su asiento cuando vio caminar con gran velocidad a su amigo René. «¿Habrá venido desde México?», se preguntó, y de la emoción comenzó a golpear el cristal para llamar la atención de aquel joven que por la prisa ni volvió su mirada a Andrea. El doble de René iba concentrado en arrastrar su maleta de ruedas, mientras posaba su vista en todos los letreros del aeropuerto con la desesperación típica de quien está a punto de perder su vuelo. Desorientado, lo vio alejarse, hasta que pasados unos minutos se separó del cristal, cuestionándose, todavía, si se trataba de René o no. «Éste tenía los ojos como más claros», concluyó, mientras volvía a su sitio.

Cansada, Andrea ya no quería ni mirar para afuera. Un temor a encontrarse, equivocadamente, en otra dimensión, empezó a inquietarla. «¿A dónde he venido a parar? —se preguntó—. Son los mismos o parecidos, pero se interrelacionan de manera distinta.»

Tratando de calmarse, Andrea permaneció unos instantes con los ojos cerrados, buscando paz interior. Poco a poco empezó a ver en el fondo de sus párpados el rostro sonriente de Roxana que, montada en una bicicleta, pasaba frente a la casa de Andrea una y otra vez diciendo adiós con la mano. Pero, sin saber cómo, también vio a la misma Roxana en una cama, con fiebre, pronunciando un discurso delirante, en una lengua ajena.

A partir de ese momento, Andrea tuvo la certeza de que algo terrible le pasaba a Roxana y ante sus ojos cerrados apareció un baile de otra época, donde las gentes llevaban pelucas blancas y trajes vaporosos de grandes escotes. En medio del baile, una joven danzaba alguna pieza de salón, tomada de las manos por otras muchachas. Luego, a escondidas, besó los labios de una de ellas; de inmediato aparecieron soldados vestidos con armaduras medievales y se llevaron a la joven. Andrea vio más: una cárcel húmeda con paredes de piedra y puerta de hierro; dentro, la misma joven con los brazos y piernas cortados permanecía viva y lanzando improperios a sus verdugos; allá, en un rincón, una mujer vestida con harapos dejó caer el pañuelo que le cubría la cabeza y era... Roxana, con un ojo verde y otro negro, y las manos sangrantes, traspasadas por clavos.

De un sobresalto, Andrea abrió los ojos, espantada. ¿Qué podría estarle ocurriendo a Roxana, mientras ella estaba sentada en el aeropuerto, sin un centavo y sin saber bien adónde ir?

Una policía de aduana llegó al lado de Andrea, preguntándole con voz muy suave cómo se sentía y si tenía algún teléfono para llamar a sus conocidos en Miami. Andrea volvió como de muy lejos y miró a la mujer sin entender muy bien sus palabras. La policía repitió sus preguntas recordándole a Andrea, por la cadencia de su voz, la forma de hablar de Marta. Andrea no dudó más y le dio de memoria el número de Marta.

VII

A Roxana se le antojó que el sol naciente tras los cristales bien podía ser un abanico abierto apoyado sobre el marco de la ventana que daba a su cuarto, pero no, se trataba de la aparición diaria del astro que calienta la tierra. «Ahora que tiene la mitad del cuerpo afuera, es como un abanico rojo chino», se dijo, contemplando aquel amanecer brasileño, luego de una noche de fiebres y delirios.

«A estas horas ya deben de estar juntas», pensó, creyendo que tal vez perdería el amor de Andrea, después del reencuentro con Marta. «En verdad, no me importa nada, el amor es mucho más que palparse el cuerpo. El amor es historia que viene de otro tiempo.» Se levantó y caminó hacia la ventana para observar más cerca al sol que, atrapado aún por la cintura, no acababa de alumbrar el día a plenitud.

Roxana respiró con placer, disfrutando de estar viva, hasta el extremo de percibir los latidos de su corazón, la sangre corriendo por los canales flexibles de sus venas y arterias, a las que imaginó como regadíos subterráneos dentro del cuerpo, que le llevaban humedad a todas partes de su superficie; también percibió el cosquilleo que le producía alguna pelusa en su nariz y, en el afán por rascarse, salió de sus interioridades para fijar la vista en el espejo y las dos velas derretidas durante la regresión del día anterior.

«No soy capaz de repetirlo», concluyó, pero una misteriosa intuición la llevó a colocarse, de nuevo, frente al espejo. Al principio no lo detalló muy bien, pero al mirarse fijamente, buscando reconocerse a sí misma, se percató de que su ojo derecho tenía en el iris un aro azul que lo bordeaba. «Cómo es posible que haya sido tan real...» Y asombrada por aquella revelación material del pasado en su rostro, comprendió que en el juego había llegado demasiado lejos como para arrepentimientos. Del susto, comenzó a desvestirse con la avidez de comprobar si algo más de su cuerpo había cambiado.

Frente a sí misma, Roxana se recorrió con la mirada. La delgadez era la misma de siempre y, como de costumbre, tenía su mancha café con leche entre los senos que, a manera de patente familiar, heredaban en casa. Al parecer todo estaba en orden: el vientre hundido, las costillas sobresalientes y la piel idéntica. Roxana se sentó en la cama y se revisó las plantas de los pies, nada. Volvió al espejo, y como pudo, se detalló la espalda, palmo a palmo, reconociendo su columna vertebral visible por la falta de grasa en su cuerpo. Las nalgas continuaban poco sobresalientes y firmes.

«Sigo siendo Roxana, nacida el 8 de Noviembre de 1970...» y, aún conmocionada por lo de su ojo, decidió darse una ducha para comenzar a vivir la realidad del nuevo día.

Ya en el baño, disfrutando del agua caliente que resbalaba por ella, la asaltó la imagen de Marta. La veía atrapada dentro de un pozo, a oscuras, llorando por su suerte y, allá en la boca del hueco donde se percibía luz, el abanico rojo con que ella identificó al sol de su ventana al despertar.

Extrañada, trató de detallar bien el rostro de Marta. Sólo la conocía por las fotos viejas que Andrea le enseñó un día. «¿Por qué pienso en ella? —se dijo— si no la conozco.» Llena de confusiones, tomó el jabón y frotó su piel, tratando de limpiar todo el mundo imaginario que ella misma desató la noche anterior. «El agua lo cura todo», pensó, y creyendo estar en una cascada salvadora, Roxana permaneció un buen rato bajo la ducha.

Al salir, cuidó de envolverse en la toalla para calmar el frío de su interior, sólo que al pasar frente al espejo vio a Andrea multiplicada dentro del laberinto de una feria del que no podía salir. Andrea se sorprendía de verse deformada por los trucos de las paredes espejadas y, desesperada, trataba de encontrar la salida sin éxito.

Convencida de que la libertad es una sensación del alma, Roxana comprendió que tanto Marta como Andrea estaban encerradas en sí mismas, y sin duda necesitaban ayuda.

Culpándose, como solía hacer, por todo lo que acontecía a sus amistades, Roxana creyó que su estúpida idea de experimentar una regresión, y la facilidad con que lo logró, había traído consecuencias para sus allegados. Deprimida, se vistió lo más rápido que pudo, tomó el libro de recetas para viajar al pasado y salió a la calle. Durante el trayecto, llegó hasta un cesto de basura y allí tiró el libro, como si su acto en la distancia pudiera curar a sus amigas, tal y como hacía con los pacientes. Sólo que el aro azul, ya parte inseparable de su ojo, permanecía intacto, sin que ella lo pudiese remediar, ni mirar continuamente, para tenerlo presente a cada momento sin utilizar la memoria o el espejo.

Ya más tranquila, llegó hasta un parque y se sentó, deseosa de que volara la semana para verse, al fin, reunida con Andrea en los Estados Unidos. En tanto, decidió mirar el vuelo de los pájaros, llegando a la conclusión de que su viaje a un tiempo pasado le salió más barato que el próximo traslado a otras tierras.

VIII

El apartamento olía de nuevo a limpio. Satisfecha, Ligia contempló su obra. Del interior de cada objeto brotaba la armonía y el equilibrio que necesitaba para recuperarse de la mala racha. Encendió unos inciensos ceremoniosamente y aspiró el humo perfumado, buscando deleite en el sutil aroma. No tenía noticias de Marta, pero segura de que ésta regresaría a casa más tarde o más temprano, decidió no preocuparse demasiado por su dispersión mental, buscando acumular energías para cuando la tuviese frente a frente.

Claro que una curiosidad por conocer a Andrea le andaba rondando desde que supo la noticia de su viaje a los Estados Unidos. Sin embargo, su decisión de recuperarse, a pesar de los demás, la hizo confiar en que nada la podía afectar verdaderamente.

«¿Por qué no?», se dijo, cuando pensó en que, tal vez, debería celebrar su regreso a casa con una copa de vino. En definitiva sus problemas venían esencialmente del estrés y nada mejor que festejar su vuelta a la salud y a la casa, para alejar las tristezas.

Ligia fue directamente a su archivo de trabajo y allí, escondida entre los papeles, encontró una botella de vino rojo francés que había estado guardando para el próximo aniversario de compromiso entre ella y Marta, pero como ya ni valía la pena hacer planes para la fecha, decidió brindar por estar viva y porque sí.

Corrió a la cocina, buscando con alegría un descorchador para su Merlot. «Los médicos dicen que el vino tinto es bueno para el corazón.» Y decidida a reconstruir su ego íntimamente, sin depender de altibajos externos, hincó el corcho, dio vueltas al abridor y, pam, abrió la botella. La olió para disfrutar maravillada el buqué, luego se sirvió un sorbo en una copa brillante de limpieza y cató la botella, comprobando que sabía tal y cómo imaginó. Pero tan celestial estímulo merecía una música digna de los dioses.

Entusiasmada, Ligia volvió a sus archivos donde también guardaba las óperas, por consideración a Marta, quien al no compartir sus preferencias, le sugirió que las escuchara cuando estuviese sola. Para la ocasión, se imponía *El fantasma de la ópera* y con la ligereza nacida de los entusiasmos, echó a andar la pieza, electrizándose al oír las primeras notas.

«Por ti, abuelo», brindó, extendiendo la copa al aire en honor a su antepasado, fanático de la ópera como ella. Y consciente de que aquellas exageraciones le podían salvar la vida, Ligia danzó al compás de la ópera con el aire de una primma bailarina. «Con este empeine, de seguro hubiese triunfado en el ballet. ¡Qué arco tengo!» Y riéndose de sí misma, trató de mantenerse erguida para hacer un foueté, tras el cual fue a parar directo al sofá de la sala, patas arriba, pero tratando de cuidar de que no se le botara ni una gota del vino.

«Bueno, tal vez fui en otra vida cantante de ópera. Como me hubiese gustado... poder expresarme con la voz. Ahaa, aa, ahhhhh, aaaaaa, doooooo, reeeee, miiiii... Pobre fantasma de la ópera... encerrado en los fosos del teatro, guardando su rostro deforme detrás de una máscara. Qué vida más desgraciada.» Como un resorte, se levantó del sofá para sentarse frente a su computadora. Hacía muchos días que ni se acordaba de su novela y sentía la curiosidad de ver por dónde había parado.

La lentitud con que apareció la imagen fue para ella desesperante, pero al final allí estaba su texto, terminado con una frase lapidaria: «Cerró la puerta del baño, para ver si bajo el agua del lavabo le sobrevenía una muerte súbita, como única solución posible a sus problemas».

Ligia suspiró al ponerle atención a la música y se sintió tan desgraciada como el mismísimo fantasma. «No. No puedo aguarme la fiesta. Mañana escribiré mi capítulo sobre el hospital y la llegada de Andrea...» Y con un trago largo de vino, alejó los pensamientos tristes. Entonces, corrió al balcón en busca de la brisa de aquella tarde en declive.

El balcón es el sitio ideal para la espera, desde allí se puede divisar, prematuramente, la vuelta de los seres que aguardamos, pero el hacerlo despierta una ansiedad terrible y puede hasta perjudicar la vista de tanto querer ver lo que, tal vez, no aparezca. Pero, consciente de los peligros que corría al acercarse al balcón, Ligia decidió salir. Para no mirar hacia la puerta del condominio, tendió su vista a un punto lejano del campo de golf que tenían en el área, allá donde debían de andar los patos que vivían en el lago.

«Vivo en un lugar tan bonito. Pero estoy tan sola», se dijo, deseosa de tener con quien compartir la vista de su apartamento. Y, sin querer, regresó al estado melancólico que tanto se propuso alejar de sí, fijándose, ahora, en el tono grisáceo que tomaba el cielo, justo al caer la noche.

Otro trago de vino le estimuló el paladar, al tiempo que se le aguaban los ojos por la tristeza de reconocer que no le importaba a nadie. Pero volvió a empinar la copa y sacudiendo todo su cuerpo, rompió en carcajadas. «Estoy a punto de cortarme las venas, como esos personajes histéricos de las novelas rosas. Es más, me parezco, ahora, a la imagen que tengo de mí, cuando me describo con compasión. Soy un verdadero asco» Y riéndose, regresó al interior del apartamento, lista para prepararse una cena a su gusto.

Después de revisar todas las reservas, dio gracias a Dios por encontrar un paquete de pastas y aceite oliva. «No está mal», se dijo, mientras ponía un poco de agua a hervir. Sin embargo, el entusiasmo por la comida se le escapó en un instante cuando imaginó que Marta y Andrea estarían comiendo en algún restaurante de la ciudad. «La espera se me hace larga. Ya ni sé si podré saludar con tono normal, cuando lleguen, o se me escapará alguna inflexión de amante despechada. ¿Cómo es posible que yo esté en una situación tan ridícula? Y lo peor es que no me puedo dominar.» En ese punto abrió de un tirón la bolsa de espaguetis, desparramándose los fideos por todas partes.

Maldiciendo su suerte, Ligia fue recogiendo las varillas de pasta. «Todo conspira, todo es una desgracia.» Y creyendo que el mundo se le caía encima, fue suspirando tras cada segundo, hasta que logró recolectar las piezas del paquete desperdigado. El agua estaba en su punto de ebullición y reconociendo que después de los contratiempos ya no le interesaba mucho la idea de comer lanzó los espaguetis a la cazuela, con desgano y por inercia.

Tratando de alejarse del calor de la cocina, se fue hasta el sofá, no sin antes volver a tomar en su mano la copa de vino. Allí se acostó, subiendo los pies sobre uno de los brazos del mueble. Un poco más relajada, logró disfrutar nuevamente de la música y hasta llegó a sonreír pensando en los viejos discos de pasta de su abuelo, sobre todo aquellos que tenían en la etiqueta el perrito escuchando el fonógrafo, los que de niña la mareaban por su afán de seguir mirando el dibujo mientras el disco daba vueltas.

Luego de dormitar un rato, se levantó sobresaltada y corrió hacia la cocina pensando que, como casi siempre, la comida estaba achicharrada. Pero no, por esta ocasión, estaba aún a salvo. Escurrió sus espaguetis, les echó el aceite, un poco de albahaca y de nuevo sintió apetito. Puso la mesa lo más elegante que pudo y se sentó a disfrutar de su cena. Levantó la copa de vino, brindó por su salud, enroscó la pasta en el tenedor, la miró con gusto, la olió placenteramente y, cuando fue a probarla, sonó el teléfono. Soltó el cubierto y corrió a levantar el auricular.

La llamada era del aeropuerto, no lo podía creer, Andrea le pedía que fuese por ella. Pero, ¿dónde estaba Marta? Y sin poder responder a la recién llegada ninguna de sus preguntas, le prometió que saldría inmediatamente a buscarla. Luego que colgó el teléfono, se sintió tan nerviosa que pensó en denunciar la desaparición de Marta a la policía, pero esperanzada en que tal vez Marta estuviese escondida en la casa de algunas amistades, desistió de la idea, por temor a armar revuelos innecesarios y complicar aún más la situación. Por lo menos, esperaría hasta la mañana siguiente.

De repente, sintió un apretón fuerte en el pecho, pero consciente de que otras personas la necesitaban, Ligia respiró profundo, se sentó unos segundos y le pidió protección a Dios. Más aliviada, fue hasta la mesa, recogió el servido, botó la comida y tomando su bolso de siempre, salió al parqueo del condominio en busca de su auto. A pesar de todas las noticias, iba despacio, buscando no agitar su corazón más de lo debido. Ceremoniosamente, abrió su auto, se sentó, arrancó el motor y trató de calentarlo durante un breve tiempo.

Afuera, dentro de uno de los contenedores de basura ubicados en el parqueo, Marta escuchó que alguien encendía un carro cerca, entonces se animó y gritó, tratando de comunicarse con quien fuera. Pero el ruido del motor y las ventanillas cerradas, no le permitieron escuchar a Ligia la llamada de auxilio que lanzaba desesperadamente su amante, desde el fondo del basurero.

Ya ronca, Marta volvió a sumirse en el silencio. Permaneció unos segundos callada, hasta que sintió alejarse el automóvil; entonces un aire de impotencia y frustración le llenó los ojos de lágrimas y un grito contenido le brotó de la garganta. Cansada, fue resbalando por una de las paredes del contenedor hasta sentarse, de nuevo, sobre las bolsas rotas y los desperdicios, pero un cartucho de basuras cayó a esas horas por la canal y Marta se movió para que no le viniera encima. «Hace horas que no cae basura», se dijo, y, al instante, llegó de la misma forma otro paquete. Verdaderamente asombrada, concluyó: «En la noche, las gentes botan más basura. Tal vez se llene el tanque y me ahogue o tal vez, si se forma una montaña, trepe por ella y pueda salir». Con una nueva esperanza, empezó a vigilar la caída de los desperdicios.

IX

Después de tantos años de curiosidad, se vieron, al fin, frente a frente. Las circunstancias eran, verdaderamente, desventajosas para Andrea, pero Ligia estaba allí de buena fe, reconociéndose a sí misma en la recién llegada. Venía a su mente el momento en el que años atrás ella aterrizó, con el mismo espanto que veía en el rostro de Andrea, en ese mismo aeropuerto, para ser recibida por una familia que sólo conocía a través de fotos.

Tratando de que Andrea no se sintiera humillada con su presencia, Ligia le sonrió. Se adelantó hacia ella y la abrazó. Andrea la recibió seca y molesta, tal vez desconfiada por aquella amabilidad que consideraba falsa. Sin embargo, el olor del cabello y la piel de Ligia, sumado a la delicadeza con que le dio el beso, le resultaron tan agradables que al separarse del abrazo le pareció que Ligia era muy atractiva.

Ambas tenían referencias la una de la otra, pero nunca imaginaron que, al verse, se sentirían tan cómodas. Ligia tomó el maletín raído que sostenía Andrea en sus manos y, pasándole uno de sus brazos por los hombros, la fue conduciendo hacia la salida del aeropuerto, tratando de demostrarle que era bienvenida. Andrea iba asustada, pero se dejó guiar dócilmente por aquella mujer que demostraba tanta seguridad. Mientras hacía un esfuerzo por apartar sus temores, fue tratando de alejar sus tensiones. Para ello, procuraba abarcar con la vista, aquel aeropuerto que le parecía enorme, ignorando, a su vez, que Ligia tenía una perenne opresión en el pecho y una horrible preocupación por la desaparición de Marta.

«Tal vez, si Marta hubiese estado presente, esta cordialidad entre nosotras dos no fuera tan ideal como ahora —se dijo Ligia—, pero, bueno, esto es sólo el principio, lo difícil vendrá con los días» y lanzando un suspiro que Andrea ni escuchó, por lo entretenido que le resultaba el ir y venir de los viajeros por el lobby del aeropuerto, Ligia concluyó: «que todo sea para bien», decidiendo en ese instante devolver, a través de Andrea, los favores que un día recibió de sus parientes cuando llegó a la ciudad.

Ligia abrió la puerta del pasajero de su auto, para que Andrea subiera. Cuando iba dando la vuelta para entrar por el lado del chofer, pensó en que sus parientes quizás no le sonrieron a su llegada de la misma forma franca y amable en que ella lo hizo con Andrea.

Sin poder evitar las comparaciones, y demorando en algo su trayecto hacia la puerta del carro, Ligia dio por sentado que dentro de unos años Andrea tendría un sin número de reproches que hacerle, tal y como ella hacía a su familia ahora, negándose a admitir que las sonrisas de ellos también pudieron ser francas en su momento.

Ligia no mantenía relación alguna con sus tías, llevaba años sin poder vencer el rencor que sentía hacia ellas por todas las humillaciones que le hicieron a su llegada y culpándose recurrentemente por no saber perdonar las malas acciones, ni agradecer el albergue y la comida que le dieron cuando más lo necesitaba. Terminaba despreciándose a sí misma por la miseria de sus sentimientos, hasta que las heridas se le volvían a abrir y la ira renacía en su corazón al recordar el día en que, delante de una visita, Fredesbinda le dio una lección de cómo economizar el papel higiénico tras cada defecación diaria, porque consideraba que ella gastaba los rollos con mucha rapidez, achacando su despilfarro a que allá utilizaban los periódicos para esos menesteres. En aquel entonces, algo perpleja, Ligia intentó aclararle a su tía que ella nunca utilizó el diario para tales fines, por temor a contraer alguna enfermedad con la tinta. «Claro, como tú siempre dices que eres una eminencia», concluyó Fredesbinda, en tono de burla y dudando de que allá las gentes pudieran aprender nada bueno. Hubo en la sala unos segundos de silencio y luego los visitantes rompieron a reír, aplaudiendo las palabras de la tía, mientras se llevaban a la boca unas galleticas con jamón.

Tratando de no hacerse más daño con recuerdos desagradables, Ligia murmuró para sí: «No debo ser la única que pasó por lo mismo». Y, ya frente al timón de su auto, se volvió para Andrea jurándose que cultivaría la mayor paciencia con ella y que no la humillaría por nada de este mundo, para que no pasara por sus mismas experiencias dolorosas, a pesar de que tan sólo el anuncio de su llegada le había descalabrado su estabilidad.

Así, sin preocuparse demasiado por la ingratitud que esperaba de parte de Andrea en un futuro, Ligia encendió el automóvil y fue camino a casa, conmoviéndose continuamente con las sonrisas inocentes que, sin darse cuenta, le regalaba la recién llegada en su primer periplo por la ciudad.

La noche tenía una brisa especial, suave y agradable que Ligia no quiso desaprovechar, dejando las ventanillas del auto abiertas para recibir en pleno rostro las bondades del otoño. Andrea iba callada, agradeciendo que el aire fresco la reanimara para escuchar las explicaciones de Ligia sobre las calles, los trabajos, los impuestos... hasta que finalmente doblaron y tuvieron frente a sí una reja enorme.

—¿Llegamos? —preguntó Andrea, y Ligia asintió.

Andrea no podía creer que se encontraba en el condominio donde vivía Marta, su emoción era tan grande que empezó a temblar de tan sólo pensar que dentro del apartamento podría encontrarse con ella de inmediato. Ligia, por su parte, no podía apartar sus ojos de las reacciones tan frágiles de Andrea y, pensando en lo difícil de vivir, sintió temor por la recién llegada.

Ligia abrió la puerta y, al comprobar la ausencia de Marta, lejos de incomodarse, sonrió al darse cuenta de que ya no tenía opresión en el pecho, ni tristeza: toda su atención se concentraba ahora en Andrea, a quien veía como un bebé recién nacido que debía cuidar hasta su mayoría de edad. Sintiéndose como Robinson Crusoe con la llegada de Viernes, abrió sus brazos para ofrecer, con un gesto, todo el apartamento a Andrea, pero en uno de sus movimientos pudo ver, de reojo, el parpadeo de la máquina contestadora que anunciaba nuevos mensajes. Como un mazazo, le cayó de nuevo la horrible preocupación por Marta.

Corrió al teléfono y echó a andar la grabación de la contestadora. Se oyó enseguida la voz de Josefina, recriminando a Marta por no haberla llamado para recibir juntas a Andrea en el aeropuerto. Ligia, al darse cuenta de que

Marta no estaba con Josefina, miró a Andrea tratando de que comprendiera su preocupación, pero Andrea no alcanzaba a entender nada de lo que sucedía con Marta y, al verse tan perdida en su nueva realidad, la angustia le subió hasta el pecho.

Ligia escuchó atenta el siguiente mensaje. Se trataba del director de otro periodiquito de la ciudad ofreciéndole trabajo. Para Andrea este recado también era incomprensible y Ligia, llena de compasión hacia su nueva huésped, le indicó que le explicaría luego. Así pasaron de mensaje en mensaje, comprobando que todos eran reproches de las amistades porque no les llamaban. Defraudada por no saber de Marta, Ligia se sentó en el sofá e invitó a Andrea a ocupar un sitio a su lado.

—Ni te imaginas lo importante que es la llamada de ese señor del periódico —dijo Ligia, para desviar la atención hacia el lado bueno—. Si no fuera por lo de Marta, yo debería de estar ahora brincando hasta el techo. Renuncié hace unos días y ya tengo otro trabajo. Y no te vayas a imaginar que aquí se consigue fácil un trabajo. Dios siempre me ayuda...

Andrea atendía al discurso de Ligia sin entender absolutamente nada, pero por amabilidad trataba de fingir interés. En realidad, la ausencia de Marta se le hacía muy extraña a Andrea y, en la medida en que se fijaba en el rostro de Ligia, empezó a notarle un cierto nerviosismo. Entonces pensó que tal vez esta mujer le había hecho daño a Marta por despecho. «¿La habrá matado?», se preguntó llena de temor, porque de ser cierto, sin duda la querría matar a ella también. Pero no, la mirada de Ligia era limpia y directa, hasta parecía algo compasiva. «¿Me tendrá lástima?», pensó, comenzando a incomodarse con la idea. Sin embargo, el aire bondadoso que emanaba del interior de la parlanchina que tenía enfrente la hizo recapacitar y concluir: «¿Por qué no pensar en que es una persona buena y punto? No es muy creíble... pero yo no puedo ser tan desgraciada en este mundo. Tal vez hubiese sido mejor que siguiera hasta Las Vegas. Pero, ¿quién se iba a imaginar todo esto?».

—Ay, Andrea, te veo angustiada. Relájate. ¿No te vendría bien una ducha caliente? Seguro que sí. Ven, voy a enseñarte las pocas vueltas de este laberinto.

Andrea siguió a Ligia y, sin poder concentrarse mucho en sus explicaciones, fue reconociendo, poco a poco, el escenario que desde el Paseo del Prado se imaginaba ella todas las mañanas en que recreaba, en su mente, la historia cotidiana de Marta. Como un rompecabezas, Andrea fue armando para sí las diferentes locaciones que conocía a través de las fotos que Marta hacía unos meses enviara a su familia y que le trajo a ella el menor de los hermanos un día que, de paso por la capital, necesitó quedarse en su casa.

En todo se fijó Andrea durante el recorrido al apartamento, pero cuando redescubrió aquella cama de maderos altos, digna de una reina, con aquel colchón que tanto la martirizó cuando estaba lejos, por la obsesión de cuestionarse si sobre él Marta disfrutaba del amor con la misma intensidad que solía hacerlo sobre el camastro de Cleopatra, cuando llegó a ese punto, las palabras de Ligia se le volvieron desagradables, de tal manera que no la escuchó más.

Ligia, ajena a los pesares de Andrea, se empeñó en darle entusiasmo a sus explicaciones, tratando de ganarse la atención de la joven. Al comprobar lo lejana que estaba Andrea de todo su discurso, caminó al closet, sacó algunas ropas y le colocó a la distraída, en sus manos, una toalla y algunas prendas limpias para cambiarse después del baño. Sólo entonces la vio parpadear.

Ya dentro de la bañadera, cuando Andrea quiso abrir la llave del agua, se dio cuenta de que no había aprendido cómo hacerlo, a pesar del esfuerzo de Ligia. Intrigada, y con pena de que la viera tan tonta, comenzó a probar suerte: primero giró aquella bola de metal en todas direcciones sin éxito, hasta que de un tirón la haló para sí, cayendo sobre sus espaldas un chorro de agua fría que la hizo brincar de golpe. Giró luego la llave al otro extremo, y otro chorro, pero de agua casi hirviente, le tocó la piel, arrancándole una exclamación de dolor tan aguda que Ligia desde la cocina pudo escucharla.

Asustada, Andrea se sintió sorprendida de que Ligia abriese la puerta del baño y se topara con su cuerpo desnudo, fuera de la bañadera. Tratando de no prestar atención a los apuros de Andrea, Ligia corrió a la llave y reguló la temperatura del agua, saliendo al instante del baño, sin mirar de frente el cuerpo desnudo de Andrea.

De nuevo en la cocina, Ligia se empeñaba en preparar una sopa enlatada de vegetales para que Andrea comiera algo caliente. Se sentía contenta por haber encontrado la lata al fondo de su alacena, cuando estaba ya casi convencida de que tendría que salir a buscar algo de comer. Luego, su pensamiento se concentró en las líneas tan sutiles del cuerpo desnudo de su inquilina, sobre todo las de los pechos que sin duda eran toda una tentación. Su sonrisa por el hallazgo de la lata se convirtió en una carcajada al darse cuenta de que se sentía perfectamente bien de salud.

Cuando Andrea salió del baño parecía más blanca y joven. El pelo mojado le sentaba de maravillas y la ropa prestada, aunque grande, le resaltaba, por el tono gris, el color acero que caprichosamente apareció en sus ojos con la oscuridad de la noche. En el comedor le esperaba un plato de sopa servido con esmero. No pudo menos que sonreír como agradecimiento y sentarse a comer frente a Ligia.

Un solo sorbo de vino le devolvió a Andrea cierta tranquilidad. Por primera vez se sentía más relajada en aquel nuevo país. El licor le llenó el paladar y estimuló todos sus sentidos, hasta lograr enrojecerle las mejillas. Un calor beneficioso le acunó el alma y, aún sin probar bocado, levantó su copa para brindar con Ligia. Al chocar los cristales amistosamente, las dos sintieron la ausencia de Marta; al mismo tiempo y sin ponerse de acuerdo, dijeron al unísono:

—¡Por Marta!

—Debe estar bien porque de lo malo uno se entera enseguida —señaló Ligia.

—Para mí es extraño volverla a ver... —reflexionó Andrea.

—Para todas es extraño encontrarnos —respondió Ligia antes de sorber una cucharada de sopa.

Andrea se detuvo a mirar el humo que emanaba de su plato y, aún sin decidirse a probar el caldo, tomó la cuchara en sus manos.

—Es enteramente de vegetales, puedes comerla con confianza —le aclaró Ligia en tanto Andrea, sonriente, tomó de la sopa, sintiéndose aún más relajada con el líquido tibio que llegaba a su estómago. El siguiente trago de vino terminó por aflojarle todos los músculos del cuerpo, incluso, la lengua.

—Tengo una pareja que está en Brasil. La idea es reunirnos aquí... o en Brasil —comentó la inquilina, ante una ligera muestra de asombro de Ligia, perceptible en la unión de su entrecejo y en la mirada.

—Todo te va a salir bien. Ya verás... Veremos qué dice Marta... La veo tan confundida... La mata toda esa culpa que siente por haber sido capaz de sobrevivir y crecer aquí, sin ti. Algo así más o menos, creo yo. En realidad sólo ella sabrá —dijo Ligia, entre cucharada y cucharada.

—No sé si nos queremos igual... Las relaciones cuando se cortan a destiempo se vuelven una obsesión. Claro, afecta más a los que se quedan. Mira, ahora tengo el mismo sabor que cuando Marta se fue. Estoy en su casa, entre sus objetos, y ella no está.

—Pero ahora va a aparecer de un momento a otro. Sé que es importante que veas a Marta, pero en este juego lo principal eres tú. Tienes que estar lo más equilibrada posible para orientarte en tu nueva vida.

Andrea se encogió de hombros creyendo irremediable su desequilibrio, aunque reconociendo que Ligia tenía razón.

—Es que yo no sé vivir para mí. Siempre tengo que tener una musa que me inspire para andar, reír, llorar.

—Tal vez tú y yo seamos la misma persona, por eso te recomiendo lo que no supe hacer. Quizás tú tengas remedio.

—¿Qué tal si yo fuese el pasado y tú el futuro de la misma persona y ambas decidimos coincidir en el presente?

—Me suena a entelequia —respondió Ligia tratando de alejarse de las reflexiones existenciales, para colocarse de lleno en la realidad, mientras tomaba un sorbo de vino que la hiciera sentir viva.

—Es que los cuerpos no importan... son tan sólo el escudo del alma —insistió Andrea.

—Quería decirte... puedes estar aquí todo el tiempo que quieras, por mí no hay problemas... No sé si tú y Marta tienen algún plan concreto. Tal vez quieran irse juntas. Pero lo mejor es llevar la fiesta en paz, mientras vivamos aquí. Tanto Marta como yo tenemos los mismos derechos en este apartamento y yo no me puedo mudar ahora mismo. Tenemos que ayudarte a encontrar trabajo lo antes posible, con independencia económica te vas a sentir mejor —concluyó Ligia.

Andrea se sintió un tanto ofendida con el discurso de Ligia, era como si le estuviese echando en cara su situación de agregada.

—Si me llevas de regreso al aeropuerto, aún estoy a tiempo de que me ubiquen en otro estado —respondió Andrea con aire de dignidad.

—No lo tomes así. Para explicarte... La Isla es una fortaleza rodeada de murallas que no te permiten ver mucho para afuera, pero que te protegen de los ataques piratas y, aunque hay mazmorras oscuras, todo el nacido allí está acostumbrado a sus muros desde la época de España, y sabe cómo encontrar el rayo de luz que le dé vida. La Florida, para los que venimos de allá, es un pantano desconocido, infestado de cocodrilos que si no aprendes a vencer te hundirán para que te pudras y luego comerte sin problemas.

—Mejor busco un cuchillo de la cocina y me abro las venas... —contestó Andrea, todavía molesta.

—Ven, vamos a brindar porque nos conocimos. Si te ofendí lo siento, de veras.

Andrea, un poco halagada por la disculpa y dándose cuenta de que era tonto seguir en la posición de ofendida, sonrió y chocó su copa con la de Ligia.

—Traje algunos regalos de allá —recordó Andrea, pensando en que tal vez Ligia mereciera la botella de ron que traía.

—¡No me digas que trajiste ron! —gritó Ligia, tratando de hacer sentir bien a Andrea, porque en el fondo no sabía si debía tomar algo tan fuerte cuando acababa de salir del hospital.

Entusiasmada, Andrea corrió hacia su viejo maletín y sacó el Habana Club, luego revisó con esmero su equipaje hasta comprobar que los otros regalos para Marta estaban en su sitio.

—También le traje algunas cosas a Marta —explicó, mientras regresaba a la mesa, en tanto Ligia recogía los platos vacíos y ponía todo en orden.

—¿Te gusta la ópera? —preguntó Ligia.

—Me encanta —contestó Andrea, mientras abría la botella.

Ligia, contentísima por tener con quién compartir su pasión por los clásicos, no tardó en seleccionar lo que creyó apropiado para el momento y enseguida se sentó a escuchar. Con un gesto, le señaló a Andrea el lugar de los vasos para que sirviera el ron y casi por compromiso probó el licor. Al principio lo sintió como fuego, pero al ver la mirada de Andrea, sonrió y volvió a tomar, encontrándolo ahora con un excelente sabor que le motivó el gesto de aceptación que Andrea esperaba.

Pasadas ya la expectativas del encuentro, Ligia y Andrea disfrutaban de la música y bebían con familiaridad, como si hubiesen vivido juntas toda la vida. Animadas, entablaron una conversación larga sobre sus vidas y sus familias, hasta parar en detalles tan íntimos como las parejas.

—¿Cómo dices que se llamó tu primer amor? —preguntó Ligia con mucha curiosidad.

—Luisa Fernanda.

—No puede ser, mi primera experiencia amorosa fue con una llamada Luisa Fernanda —exclamó Ligia, exaltada.

—¿Sería la misma Luisa Fernanda? ¿Una rubia alta, muy simpática y ocurrente? —trató de precisar Andrea.

—Sí... mi segunda pareja fue Isolda —afirmó Ligia, para comprobar lo que temía.

—La mía también —dijo Andrea, pensando lo mismo.

—La penúltima relación se llamó Aída. ¿La tuya también? —preguntó Ligia.

—Estás en lo cierto —concluyó Andrea—. La última con que vivimos es Marta. ¿Pero dónde dejamos a Roxana? Ninguna de las dos lleva nombre de heroína de ópera, por cierto.

—En una etapa de separación con Marta, tuve un romance con una tal Roxana —afirmó, con preocupación Ligia.

Convencidas de que eran la misma persona, Ligia y Andrea se detallaron minuciosamente, comprobando que por la apariencia, eran distintas. Luego de un silencio prolongado, Ligia determinó:

—Este ron de Cuba, cuando se sube a la cabeza, da alucinaciones...

Y decididas a olvidar el percance, para tranquilidad de las dos, rompieron a reír, para terminar cantando al unísono con el disco unas estrofas de *Las bodas de Fígaro*.

Un rato después, y ya pasada de tragos, Andrea regresó a su viejo maletín y con las gesticulaciones propias de un clown gritó:

—¿A que no adivinas el regalo de Marta?

—Yo soy terrible para adivinar algo...

Mientras Andrea y Ligia continuaban con su fiesta, dentro del contenedor de basura la suerte de Marta estuvo cambiando por segundos. Tal como pronosticó la prisionera, un caudal de bolsas repletas de desperdicios comenzaron a caer con la llegada de la noche. De tal manera que, utilizándolos de soporte, Marta pudo subir hasta colocar su pierna derecha en el borde del contenedor y, con esfuerzo, saltar hacia afuera.

Cuando se vio libre rompió a llorar de la emoción que sentía al comprobar que estaba viva; pero sin tiempo que perder, se propuso llegar a su casa cuanto antes. Como se sabía tan sucia, se fue ocultando en su recorrido hacia el ascensor tras las columnas del garaje, sin dejar de pensar, a cada momento, en Andrea y Ligia.

Para su suerte, el elevador estaba vacío y en cuanto cerraron las puertas, Marta se miró en el espejo de seguridad que estaba colocado arriba, horrorizándose por su desaliño. Al llegar a su piso, salió toda apenada y asomó la cabeza para mirar hacia la derecha y la izquierda del largo pasillo. Se alegró al ver que estaba vacío y echó a correr hasta su puerta, temerosa de que alguien la viese u oliese en semejante estado.

Ya frente a su cerradura, comprobó con alivio que tenía las llaves en un bolsillo del pantalón y, mientras pensaba en que se vería obligada a botar toda la ropa que llevaba puesta, se dispuso a abrir el apartamento. Sólo entonces se percató que dentro alguien escuchaba música; es más, parecía que se trataba de varias personas porque también se oía una conversación. Pegó su oreja a la puerta y, en efecto, tras ella había una celebración. Angustiada por no saber qué le esperaba después de un día tan trágico, se recostó a la puerta y respiró profundo por unos segundos. Cuando tuvo el valor suficiente, giró la llave y vio frente a sí a Ligia contentísima, mientras Andrea le decía rimbombante:

—Sí, éste es el regalo que traje para Marta —al tiempo que sacaba del maletín un abanico, que al abrirlo recibió toda la luz del bombillo de la sala, logrando, por su brillo, reflejar la iluminación y dar la impresión que de él brotaba el sol.

Marta se quedó perpleja mirando la escena, en tanto Andrea y Ligia no podían creer que aquel ser tan destruido fuese Marta.

Cuarta Parte

Abanicos para volar

I

Roxana trató de construir un par de alas que le dieran la libertad de andar a su antojo por el mundo. En definitiva, era una bruja a medias que vagaba por las calles de Brasil, sin saber bien a dónde ir.

La mañana en que decidió botar el libro sobre las regresiones al pasado, el destino le cambió para siempre. Aquel día, luego de recorrer un poco la ciudad, decidió regresar caminando a la casa donde paraba. Mientras se acercaba, comenzó a darse cuenta de que algo extraño sucedía en la barriada y justo allá, donde comenzaba la cuadra en que vivía, vio una barrera que la cerraba y una oleada de policías que no dejaban pasar a nadie. Roxana, quien desde su temprana juventud temía poderosamente a la represión, se alejó del lugar rápidamente. Luego de andar unos minutos y creerse a salvo de las autoridades, entró al primer café que encontró, resuelta a esperar que todo se calmara por los alrededores.

Café en mano, Roxana reflexionaba en silencio sobre ese temor tan exagerado que sentía por las autoridades cuando ella no era una delincuente. De repente, a pesar de su concentración interna, la mirada se le desvió hacia el televisor que, colocado en un lugar estratégico, se podía ver desde cualquier ángulo de aquel pequeño recinto. Estaban dando algunas noticias de primera hora y, gracias a las grandes similitudes entre el portugués y el español, alcanzó, primero a entender y luego a ver la detención de quienes, sin duda, eran el matrimonio dueño de la casa donde hasta hace unas horas ella estaba escondida, en espera de salir ilegal para los Estados Unidos.

Captó que se trataba de una operación contra una red de traficantes de humanos, pero su miedo creció aún más cuando mostraron en la pantalla el pasaporte con su foto, como prueba de que en el lugar se escondían extranjeros dispuestos a ser trasladados, ilegalmente, a cambio de fuertes sumas de dinero.

Roxana se removió en el asiento y miró a los inquilinos del lugar para ver si alguien la estaba observando, pero no, pues por suerte las gentes no prestan demasiada atención a ese tipo de noticia que en nada les puede cambiar sus vidas. Inquieta, trató de hallar con la mirada algún teléfono público, encontrando uno justo al lado de los baños del café. Buscó en su bolso el teléfono de su amigo Agostino, tomó algunas monedas y, recriminándose por haber dejado su pasaporte al matrimonio que le preparaba sus documentos falsos, llamó a la única persona con la que podía contar.

Agostino le salió al teléfono muy risueño, pero conforme escuchaba la historia que ella le contaba se fue exaltando cada vez más porque, en definitiva, las autoridades podían comprobar, fácilmente, que él le había extendido una invitación para visitar Brasil y tal vez lo querrían investigar.

Roxana se aterró cuando Agostino le aconsejó que se presentara ante los alguaciles de inmigración para que la regresaran a su país, y le pidió de favor que no lo mezclara frente a la policía en su fracasado plan de viajar ilegalmente a los Estados Unidos. Se despidió para siempre de ella, suplicándole que no lo llamara más porque él era un médico de prestigio que no estaba acostumbrado a tener problemas con la ley.

Totalmente desanimada, Roxana regresó a su mesa y se dejó caer en el asiento sin saber muy bien qué hacer. De inmediato se le acercó un hombre joven que le habló en perfecto español, pero atropellando sus palabras por la rapidez de su discurso.

—No te pongas brava. Yo soy de allá, igual que tú. Cuando estabas hablando en el teléfono, pasé por detrás de ti y te escuché sin querer. No te presentes en inmigración porque te van a meter presa y no quieras tú conocer una cárcel de Brasil. Es difícil que te reconozcan por la calle. De todas formas, toma este pañuelo para que no se te vea mucho la cara. No te presentes en ningún lugar a buscar trabajo porque te van a caer encima. Aguanta unos días hasta que se olviden de ti. Ven por las tardes y toca por la cocina, yo te voy a dar de comer. No te puedo llevar a mi casa porque vivo con una brasileña que no te va a recibir bien y tiene mucha plata como para fajarme con ella. Es la dueña de todo esto, imagínate.

El joven dejó un pañuelo de seda sobre la mesa y se alejó con cara sonriente. Llamó a un camarero y le señaló para Roxana, regañándolo porque la señorita hacía horas que precisaba de sus servicios y él no aparecía. Le indicó que le ofreciera a la joven un emparedado a cuenta de la casa. El camarero, perplejo, no se atrevió a protestar la acusación tan injusta y falsa que le hacía el esposo de la dueña y con la cabeza baja fue a cumplir sus órdenes.

Así, Roxana se vio con la cabeza cubierta por el pañuelo de seda y un emparedado que decidió llevarse para no permanecer más rato en el café, por si volvían a repetir la noticia en la televisión y alguien, esta vez, la reconocía. Caminó sin rumbo fijo, hasta llegar a un parque muy agradable, donde se sentó a meditar su suerte.

Era inconcebible que de la noche a la mañana ella se hubiese convertido en una fugitiva, por el solo hecho de querer reunirse con su amante Andrea.

Muy lentamente, dos lágrimas incontenibles le resbalaron por las mejillas. Alzó su cara para tratar de contenerse, evitando llamar la atención de los transeúntes con su llanto y, al mirar hacia arriba, vio una bandada de pájaros que, alineados, remontaban su vuelo quién sabe a dónde. «Volar», se dijo para sus adentros, y un deseo infinito de ser pájaro se apoderó de su ser, dándole una fuerza inusual y desconocida que la llevó, desafiante, a desenvolver el emparedado y devorarlo a mordiscos grandes, entre sollozo y sollozo, decidida a sobrevivir, gracias a la obsesión de volar.

Con el paso de los días, las ropas de Roxana se fueron poniendo sucias y raídas, sobre todo por el sereno de la noche y la lluvia que le caía encima de vez en cuando. Así, con esa apariencia y la costumbre de acudir al café conocido para recibir un emparedado diario, la joven fue tomando el aspecto de una mendiga más de la calle.

Ricardo, su amigo del café, la consolaba con sus discursos rápidos de siempre, asegurándole que para el mes entrante, aunque ella no tenía papeles, le daría trabajo en el restaurante, pero necesitaba tiempo para convencer a su esposa de que contratara a una indocumentada, aunque fuese en la cocina, cuando empleados sobraban por doquier. Además, tenía que buscar una buena explicación para que su mujer no creyera que él tenía interés en Roxana como mujer.

Uno de esos amaneceres en que Roxana despertó en medio de la ciudad fue, como de costumbre, a la fuente de su parque favorito para refrescarse la cara con aquella agua fría que tanto le animaba el día. Siempre aprovechaba, a diario, la hora en que el guarda parques, dando su recorrido habitual, andaba por el otro extremo del terreno, posibilitándole a ella su aseo en la fuente. Allí se mojaba el pelo, las mejillas y se lavaba los dientes con un cepillo de viaje que siempre conservó en su bolso. Pero esa mañana vio algo insólito en el agua, al detallar su rostro en la superficie: el aro azul que le nació en su ojo derecho se estaba haciendo más grueso. Temerosa de convertirse en la mujer de ojos desiguales que había visto durante su auto regresión, y aterrorizada porque divisó de muy lejos algo que se le pareció al uniforme del guarda parques, Roxana echó a correr, alejándose de la fuente.

Jadeante, llegó a la parada de un ómnibus donde solía sentase para aguardar hasta el mediodía en espera de ir al café de su amigo, y allí se paró. «¿Será que me estoy quedando ciega de ese ojo?», pensó, descartando enseguida la posibilidad porque realmente veía bien. Entonces, decidió levantarse y caminar a lo largo de la calle para irse mirando en las vidrieras de los comercios.

Las horas se le fueron rápido ese día, tanto que Roxana olvidó la hora acordada con Ricardo para pasar por su emparedado; pero era tan grande su preocupación porque en la medida en que pasaba el tiempo más espacio ocupaba el azul de su ojo que, cuando se acordó de su amigo, eran pasadas las tres de la tarde. No obstante, decidió llegarse al café pensando que tal vez él se preocuparía por ella.

Al llegar, tocó por la puerta de la cocina, con la contraseña acordada, pero esta vez abrió una señora muy delgada, de casi unos sesenta años, vestida con ropas propias de un gimnasio y toda sudada, como si recién hubiese terminado su sesión de ejercicios. La mujer la miró con disgusto y le habló en español.

—Así que tú eres la compatriota de Ricardo. Estás hecha un desastre. Mis empleados no me habían dicho que eras tan joven... Mira, no vuelvas más, no te hagas ilusiones con mi marido. Si él me deja, terminará como tú, siendo un fugitivo de la calle, sin papeles de identificación —y con la misma, le cerró la puerta en la cara.

Roxana se quedó unos segundos mirando fijamente la puerta que se le había cerrado para siempre, aquella que durante días le alimentó el cuerpo y le dio la fuerza de saberse querida por alguien. Luego, bajó la cabeza y se retiró del lugar con lentitud, a sabiendas de que su ojo estaría completamente azul a esas horas.

Deambuló sin rumbo, ni noción del tiempo, hasta que de pronto le cayó la noche encima. Un aire extraño corrió por la ciudad y levantó las hojas caídas de los árboles, haciéndolas recorrer los caminos, en un vuelo que parecía no tener descanso. De nuevo, Roxana sintió la necesidad de tener alas que la llevaran hasta su mundo conocido y sintió envidia de las hojas.

Estaba casi convencida de que trasladarse de país en país era, a su vez, trasladarse a través de diferentes planos de la realidad. Quizás ahora se encontraba en el mismísimo infierno, y si regresaba con los suyos sería como volver al paraíso de lo ya vivido y, por consiguiente, poco temerario. Pero esa idea era tan abstracta como imposible parecía el poder volar.

En su confusión, llegó a una estación del metro y bajó las escaleras, buscando evadir la intemperie que comenzaba, con su humedad, a calarle los huesos. Sentada en uno de los bancos del lugar, recordó que era médico y, por un instante, recobró la confianza en sí misma, llegando a pensar que si durante tantos años logró curar a muchas personas, ahora, de seguro, podría curarse la angustia que le producía su macabra suerte. «Siempre, lo mejor es actuar, no importa cómo, el caso es incidir en la realidad aunque sea desde lo irreal», concluyó, y se levantó optimista, dispuesta a cambiar su destino. Pero la ciudad estaba vacía durante esas horas de la madrugada, y la razón la hizo sentarse de nuevo, a esperar por el día.

Sumida en esas reflexiones, Roxana recibió la mañana y con ella la esperanza de sobrevivir. Por unas horas se quedó en el mismo banco del metro, tratando de perfilar en su cabeza algún plan concreto. Pero cuál no sería su sorpresa cuando una mujer, luego de mirarla, extendió su mano para darle una moneda y al ver que ella ni se movía, colocó su limosna sobre el banco. A Roxana no le quedaron dudas, se había convertido en una mendiga. Todavía sin asimilar bien la imagen que los demás, evidentemente, tenían de ella, se paralizó en el banco, convencida de que, por dentro, seguía siendo la misma y recordó su orgullo el día en que se recibió como especialista en Radiología. En aquel entonces, todos los profesores la consideraban una promesa en la materia. «Ve lo que otros no ven», decía, entusiasmado, el jefe del departamento a sus colegas, cuando la entonces recién graduada comenzó a trabajar con ellos en aquel hospital de La Habana. En efecto, era tan certera en sus diagnósticos que pronto se volvió popular entre los otros médicos.

Pero todo había quedado atrás. Roxana volvió a fijarse en la moneda que le había dejado la mujer y mientras la detallaba con la vista, sin atreverse a tocarla, un niño que andaba de la mano de su mamá le puso otros centavos y luego miró a su madre, satisfecho de ser un niño bueno y compasivo que llenaba las expectativas de su familia. Francamente espantada, Roxana miró las limosnas y al hacerlo se fue convenciendo de que se había convertido en una vagabunda, y actuando como tal, tomó las monedas y echó a andar deprisa, en un acto desesperado por escapar de sí misma.

En la medida en que huía del lugar donde la dieron por mendiga, Roxana comprendió que le era vital cambiar su aspecto, si no quería vivir el resto de los días tirada en las calles de Brasil. Como ya conocía todos los lugares del perímetro donde vagaba desde hacía semanas, decidió probar suerte y pedir ayuda en una lavandería por la que pasaba de vez en vez. Ése, sin duda, debía de ser su primer paso.

Sin embargo, cuando llegó a la esquina del establecimiento, se detuvo, y por un momento casi echa a correr en dirección opuesta llena de temor. Sentía espanto al pensar que la gente podría denunciarla con la policía, pero qué otra cosa podía hacer, era casi preferible la cárcel que morir de hambre en las calles. Entonces, más decidida, detuvo los impulsos de huir y siguió andando hasta la puerta de la lavandería como una autómata.

Al verla entrar, una mujer que por el porte parecía la dueña, soltó unas ropas que revisaba, se puso las manos en los riñones buscando alivio a alguna molestia y se dirigió a Roxana para tratar de interceptarle el paso. Ya frente a ella, no le quedó más remedio que mirarla con curiosidad: no todos los días asomaba por el lugar una persona tan estrafalaria, con ese aire de loca ausente y, por demás, de ojos desiguales. Luego de la observación, al ver que Roxana permanecía muda, la mujer le indicó con un gesto que se marchara. Al ver el brazo extendido, apuntando con el índice hacia la puerta, ella comprendió que su destino estaba en juego y sin pensarlo más rompió a hablar.

—Necesito lavar mis ropas. Éste es todo el dinero que tengo —Roxana puso frente a la mujer el último dólar que le quedaba y al ver que la señora juntó el entrecejo extrañada, se apresuró en explicar—: estoy en una situación difícil. Soy extranjera y necesito trabajo, pero no tengo papeles y con este aspecto nadie me va a contratar.

Fernanda, la dueña de la lavandería, siguió dudando de Roxana, pero la forma sincera con que la muchacha se expresaba, le hizo demorar la decisión por unos segundos. Algo muy especial y conmovedor encontró en el rostro de aquella criatura, al punto de sentir deseos de protegerla. Y sólo al llegar a ese grado de sensibilización, la mujer analizó la mirada tan extraña que producía aquella combinación de un ojo claro y otro oscuro; pero lejos de asustarse, a la dueña le pareció que la joven traía en sus ojos la armonía y belleza que producen, al unirse, los elementos opuestos del universo.

De repente, Roxana sintió una punzada en medio de sus ojos que la hizo parpadear de dolor, y cuando logró fijar de nuevo la vista en la dueña, vio iluminado el cuerpo de aquella señora, como si se tratara de una radiografía. Pudo detallar sus huesos, todos los órganos y aquella sombra pequeña que le ocupaba el riñón izquierdo. La imagen le era tan familiar, por todos los años en que trabajó como radióloga, que sin plena conciencia de lo anormal de la situación, se preocupó más por alertar a Fernanda que por las consecuencias de sus confesiones.

—¿Tiene usted dificultad para orinar? —preguntó, al tiempo que iba desapareciendo ante sí la radiografía de Fernanda. Y al percatarse de que la dueña de la lavandería no la entendía bien, repitió la pregunta con insistencia, varias veces, buscando corroborar el diagnóstico que le fue revelado.

—La entiendo perfectamente. Aprendí español durante los años que viví en Argentina. Además, en Brasil casi todo el mundo entiende el español. Lo que no comprendo es por qué me pregunta eso... —dijo Fernanda casi con tono de alarma.

Tratando de evitar que aquella señora se asustara aún más, Roxana trató de darle naturalidad al asunto.

—Yo soy médico... —Pero, al ver la cara de asombro de Fernanda, enmudeció asustada, hasta que pudo notar un matiz de ternura en el fondo de los ojos de aquella mujer que se deleitaba con tan sólo suponer que la joven trataba de mentirle. Entonces, decidida, Roxana le aclaró—. Sé que le puede parecer extraño, pero una desgracia la tiene cualquiera, hasta un médico... Perdóneme, pero usted debe de estar orinando turbio porque tiene una cálculo en uno de sus riñones. Tal vez deba ir a su médico para que le traten de destruir esa piedra, así la expulsará más fácil. El láser es bien efectivo en esos casos.

—¿Cómo es que usted sabe...? El lunes ingreso en el hospital.

—No, eso no lo sabía. Nada más que su molestia de los riñones...

—Está bien que seas médico, pero ¿cómo puedes saber mi dolencia sin hacerme exámenes?

—Aunque soy joven, tengo experiencia, imagínese, primero ocho años de carrera, luego la residencia, después la especialidad. Empecé a los dieciocho y ahora tengo veintinueve.

Y Fernanda vio un enorme brillo en el ojo negro de Roxana, que le hizo comenzar a creer en ella.

—Yo voy a ver si tú sabes de verdad. ¡Chico, Chico, ven aquí! —Y ante los gritos de Fernanda apareció su hermano—. Párate delante de ella, Chico... Es para hacer una prueba. Ella dice que es médico y quiero que me diga si te vas a morir pronto o no, por esa enfermedad rara que tienes, ¿verdad, Chico?

Divertido por las ocurrencias de su hermana, Chico, con su aspecto pantagruélico, obedeció a Fernanda como si fuera un cordero. Cuando Roxana lo tuvo enfrente, quiso morir porque no tenía la mínima idea sobre el mal que affectaba a Chico, y como no podía hacerle preguntas para orientarse, como si se tratara de una consulta normal, tragó en seco y lo miró fija, dispuesta a decir la verdad, pero cuando puso detenidamente los ojos sobre el hombre, vio iluminado su esqueleto completo y todo sus órganos, mucho más nítido que con cualquier radiografía, porque además, podía detallar hasta las venas y arterias. Luego de una revisión que tardó alrededor de dos minutos, Roxana perdió aquella imagen panorámica del cuerpo de Chico.

—Usted no tiene nada. Pero cuando los días están húmedos debe sentir dolor en el fémur de su pierna derecha por esa fractura vieja que se hizo hace años.

Fernanda, verdaderamente conmovida, se sentó en una de las sillas de la lavandería y miró a Chico que permanecía mudo y pálido del asombro. Por suerte, sólo otra empleada y pocos clientes se encontraban en el salón durante los sucesos, reduciéndose el número de testigos a tres. Un silencio reinó entre los presentes por escasos minutos, hasta que Roxana, tratando de desviar la atención volvió a preguntar.

—¿Por fin me va a dejar lavar mi ropa?

Los hermanos se volvieron a mirar y, con un simple gesto, se pusieron de acuerdo.

—Sí, pero ven con nosotros a la oficina —concluyó Fernanda, y se levantó indicándole a Roxana el camino.

Ésta caminaba como si la llevaran al patíbulo, iba preocupada porque con el cambio de color de sus ojos ya ni podía probar frente a la policía que ella era Roxana. «Tanto andar para terminar en la cárcel de un país ajeno», se dijo, decidida a no volver a las calles de Brasil.

Cuando la comitiva salió del salón, dos clientas se abrazaron llenas de espanto. Nunca antes se habían visto, pero ahora las unía el ser los primeros testigos de un milagro ocurrido a comienzos del tercer milenio de la humanidad y las dos coincidieron en que debían contarlo a los demás, aunque sabían que sería muy difícil que las gentes las creyeran.

—Es increíble que haya sucedido frente a mí. Fui profesora de religión en la Universidad de São Paulo y puedo asegurarle que la humanidad cree, por fe, en los milagros codificados por las religiones y las iglesias, aunque nunca los hayan visto. Sin embargo, las gentes no suelen creer en los milagros actuales, ni aunque los tengan delante, siempre alguien dice que se trata de un engaño para sacarle dinero a los idiotas... hasta hace horas yo misma pensaba así —dijo una de las señoras.

—Soy muy católica y aunque no he ido a la Universidad, sé muy bien de qué me está hablando —respondió la otra, en tanto la empleada de la lavandería, arrodillada, rezaba llorando, pidiéndole protección a Dios.

II

Roxana cerró la puerta y, al verse sola, suspiró por el cansancio. Allí mismo se quitó los zapatos y, ya sentada en el sofá, comenzó a acariciar sus pies en busca de alivio. Cada semana que pasaba le llegaban más pacientes pidiendo un diagnóstico que les indicara la raíz de sus males y hasta algún remedio apropiado que les prolongara la vida o, simplemente, les curara. Le daban, a cambio de sus servicios, lo que se pueden permitir los pobres, pero eran tantas las personas que acudían a las consultas, movidos por la creciente fama de Roxana y por la buena estima que le tenían a Fernanda, a la que consideraban una mujer de buen corazón por los pequeños préstamos de dinero que hacía a los necesitados sin cobrarles intereses, que la ganancia de las consultas, a pesar de ser repartida con los hermanos dueños de la lavandería, le dio a Roxana para abandonar, definitivamente, su vida de pordiosera por las calles de Brasil.

Fernanda y Chico le improvisaron en la oficina un consultorio que en las noches Roxana podía convertir en su cuarto, y como tenía un baño dentro, la joven no necesitaba salir de la habitación para nada, disfrutando tranquilamente de la protección que le aseguraban aquellas paredes blancas y sólidas de la lavandería, y del esmero que ponía Fernanda en los numerosos detalles que a diario le brindaba gustosamente.

Pero Roxana no estaba ni medianamente conforme con su destino. Y esa noche, luego de sentir sus pies más ligeros, conectó, como de costumbre, el pensamiento hacia sus seres queridos, para revivir, una vez más, la idea obsesiva de volar hasta ellos.

Hacía tres noches que se lanzaba a las 12 en punto del techo de la lavandería, pero siempre caía, verticalmente, sobre el colchón de su cama, que precavidamente sacaba, antes de cada intento, al parqueo que daba al fondo del edificio, desierto a esas horas de la madrugada.

Como le estaba negado tomar cualquier avión por su condición de indocumentada, Roxana estaba decidida a reinventar la historia de la aviación de manera primitiva y sin contar con otro recurso que el de los pobres: la imaginación. En el primer despegue, inspirada en el color desigual de sus ojos, rasgo propio de una bruja medieval, utilizó la manera tradicional de los cuentos infantiles, y se montó sobre la escoba de la lavandería, pero terminó incrustada de cabeza sobre su colchón y sólo logró hacerse un chichón enorme, en la frente, al golpearse con el madero de la escoba. El chichón empezó a despertar la curiosidad de Fernanda, quien trató de enterarse de las actividades nocturnas de su huésped, utilizando ardides tan simples como traerle leche caliente a media noche o llamarla para conversar en las madrugadas, pretextando calmar el insomnio.

El segundo despegue fue un poco más meditado. Roxana decidió construir dos abanicos grandes, tejiendo unas tiras de fibra vegetal que compró a muy buen precio en una tienda destinada al turismo, donde, en un par de minutos, fabricaban sombreros rústicos, a la medida del cliente y delante de sus propios ojos.

Los abanicos de Roxana tenían forma ovalada y un mango amplio y grande que le permitía atarlos a sus brazos. Para construirlos tardó, aproximadamente, dos meses de labores nocturnas, a espaldas de Fernanda, que la dejaron exhausta por no dormir, pero contenta. Durante ese tiempo, siempre que la dueña tocaba a su puerta, Roxana metía con facilidad todo el material debajo de su cama y, como casi nunca salía del cuarto, nadie le podía registrar la habitación. Sencillamente no estaba dispuesta a darle participación a nadie en sus planes.

Cuando dio por terminados sus abanicos, Roxana se miró al espejo y sonrió al verse más delgada que nunca, tenía los huesos tan sobresalientes que impresionaba más a sus clientes por su delgadez que por su mirada desigual. «Estoy hecha una verdadera bruja», se dijo, con cierto matiz de orgullo, pensando que tal vez su extraño aspecto le trajera esa magia que necesitaba para volar tan insólitamente como planeaba. Además, de seguro su poco peso corporal la ayudaría a mantenerse a flote.

Aquella noche, el cielo estaba despejado, dejando ver todas sus constelaciones de estrellas a manera de un mural gigante. Desde la azotea de la lavandería, se veía tan majestuosa la bóveda celeste que, por un instante, Roxana sintió temor de remontar en su vuelo hasta la mismísima luna, tal como describían los recorridos de las brujas de las historietas antiguas. Descontenta por permanecer en aquel pedazo de continente, donde había perdido la identidad, Roxana sonrió, pensando en que había escogido una noche espléndida para la aventura y poco le importó el peligro de sobrepasar los límites del Planeta que sostenía la vida humana.

Luego de colocar, con mil esfuerzos, el colchón que hasta el momento había recogido sus fracasos, subió con alegría y optimismo las escaleras que daban al techo. Ya en la azotea de aquel edificio de dos plantas, la aprendiz de piloto contempló desde la altura los alrededores de la ciudad y, como si fuera la primera vez que veía los edificios desde ese ángulo, se conmovió de nuevo por la extrema pobreza del barrio colindante al suyo, conformado por aquellas viviendas agujereadas que se mantenían en pie gracias a algún equilibrio milagroso.

Roxana suspiró, cansada de tantas calamidades, y empezó a atarse los abanicos a los brazos, en la esperanza de irse pronto de allí. Un silencio impresionante reinaba durante aquellas horas de luna llena y desde un costado de la lavandería, muy callada, Fernanda observaba inquieta todos los pasos que su inquilina daba en la azotea.

Con meticulosidad, Roxana comprobó que su reloj daba las doce, marcando el inicio de la madrugada y, confiada en que ésa era una hora mágica, agitó sus abanicos como alas para abrazar la noche. Justo en el momento antes de lanzarse, sintió el grito profundo de Fernanda, quien asustada por su suerte no pudo detener el miedo contenido en su garganta, al intuir que ella, sin duda, saltaría.

Simultáneamente, también oyó una algarabía sorda que venía de las callejuelas del barrio vecino y sonaba como a venganza. Desde el borde de la azotea, antes de volver a mirar su reloj, percibió que varios individuos perseguían a otro en una carrera macabra que terminó en una de las esquinas de la favela. Allí se reunieron todos como un bulto, y un grito de dolor inundó los alrededores.

Roxana volvió a estar pendiente del tiempo, y como no podía dejar pasar las doce en punto, se tiró al vacío de una vez. Ya en el aire, comprobó que sus brazos no podían resistir la fuerza del aire bajo los abanicos y sus extremidades se fueron hacia arriba, precipitando su caída como una flecha. Al descender tan vertiginosamente, sólo pudo oír el taconeo de los vecinos huyendo de la agonía del hombre que acababan de acuchillar y, más cercana, la repetición de un llanto agudo que debía salir del alma angustiada de Fernanda.

Al caer, Roxana se golpeó la nariz con uno de los abanicos y empezó a sangrar abundantemente. Estaba medio aturdida, pero cuando logró ponerse de pie, vio venir a Fernanda llena de pánico, con los brazos abiertos para abrazarla, y tal como suponía, en el momento en que ésta se le abalanzó era tal su emoción que les provocó la pérdida del equilibrio, cayendo ambas sobre el colchón.

Fernanda se desmayó al darse en el mentón con la cabeza de Roxana y ésta, verdaderamente sorprendida y agitada, se levantó de un golpe tratando de halar a Fernanda en un intento por reanimarla. Al ver que no respondía, Roxana se agachó para darle ligeros golpecitos en las mejillas. Justo en ese momento se pararon frente a las dos algunos de los implicados en la reyerta del barrio vecino quienes en su fuga tropezaron con ellas.

Uno de los hombres se adelantó a Roxana con una navaja llena de sangre, tratando de agredirla para defender a la supuesta víctima que yacía inconsciente sobre el colchón, pero los otros lo aguantaron, temiendo que se tratase de alguna peligrosa vampira de la noche. En medio de la confusión, y llenos de terror, los hombres vieron brotar la sangre de la boca de Roxana, y no de la nariz como en verdad le estaba corriendo, y atemorizados continuaron huyendo, no sin dejar de mirar hacia atrás por miedo a que aquella bruja se ensañara con ellos.

Ya sola, Roxana echó la cabeza hacia atrás, logrando contener la hemorragia abundante que manaba de su nariz. Fernanda despertó aletargada y con dificultad se incorporó, tocándose sin cesar la mandíbula y preguntando por todo lo ocurrido. Más calmada, gracias a las respuestas atinadas de Roxana, Fernanda ayudó a su protegida a recoger todos los utensilios y luego a regresar el colchón al cuarto. La noche, llena de emociones, le dio el pretexto a Fernanda para quedarse junto a Roxana. Agotadas se acurrucaron sobre la cama, casi sin moverse, en un intento callado de no rozarse ni con el aliento.

Luego que Fernanda se durmió, Roxana, frustrada por su fallo en el segundo intento de despegue hacia sus seres queridos, lloró amargamente y en silencio. La invadió un sollozo al que logró mutilar el sonido para no despertar a Fernanda. Con la almohada mordida para no gritar y las venas del rostro hinchadas, recibió la mañana y con ella la calma que le imponía la claridad del día.

III

A pesar de su cansancio, pero con la ayuda de un baño de agua fría, Roxana abrió las puertas de su consulta a las nueve en punto, como estaba estipulado por los dueños de la lavandería. Luego de pasar la noche emocionalmente destruida por su segundo fracaso, Roxana se recuperó totalmente en cuanto vio la cara de su primer cliente del día. Entonces su mirada desigual se llenó de amor y comenzó a olvidarse de las penas propias y a preocuparse por las ajenas.

Su primer paciente venía de la mano de su madre. Era un niño de cuatro años, quien al ver a la doctora, bruja o curandera.... se sonrió, en vez de llorar. La mamá lo sentó en su regazo, pero mientras Roxana le llenaba un expediente para sus archivos, no se estuvo tranquilo ni un minuto, moliendo los muslos de su mamá por tanta intranquilidad.

Al detallar al niño, Roxana ni tuvo que apelar a sus dotes radiológicas para diagnosticarlo. Simplemente, al ver que el paciente rechinaba los dientes sin cesar, en medio de sus continuos movimientos, comprendió que se trataba, sencillamente, de una parasitosis.

En lo que Roxana le recomendaba algunos remedios, fue levantándose para cortar la conversación con la señora y abreviar la consulta, pendiente de los otros enfermos que la esperaban, y le pasó cariñosamente su mano por la cabeza de la criatura en señal de despedida y de repente, para su sorpresa, notó que el niño cesó de rechinar los dientes. Roxana tragó en seco, aterrada por lo que estaba suponiendo.

La mamá se asustó al ver su cara de pánico, creyendo en que su hijito se había puesto muy mal repentinamente, pero la bruja, haciendo gala de un extraordinario autocontrol, la tranquilizó con una sonrisa y le pidió revisar mejor al niño, proyectando una intención tan apacible que la señora se relajó.

Roxana tomó en brazos al pequeño y lo acostó sobre la mesa que alguien de los alrededores había rescatado para ella, días atrás, de un basurero lejano a donde llevaban los desperdicios de los barrios elegantes. El paciente permaneció tranquilo y serio frente a la doctora, en tanto ésta le palpó el abdomen para lograr calmarse y obtener la concentración necesaria que finalmente le trajo la visión radiológica del cuerpo del niño. Consternada, Roxana comprobó que el niño ya estaba completamente sano.

La joven cerró su ojo azul y su ojo negro, buscando un poco de paz interior. Al abrirlos, sonrió y besó al niño, devolviéndolo con alegría a su mamá y asegurándole a la mujer que su hijo estaba sano. En efecto, se veía un relajamiento en el comportamiento del niño que hacía evidente su mejoría. Los dos, madre e hijo, se fueron contentos, sobre todo el niño porque finalmente no se tenía que tomar los cocimientos de yerbas amargas que siempre mandaban los curanderos.

Roxana, por su parte, se tomó un vaso de agua y demoró unos minutos en llamar al próximo paciente. Por un instante miró hacia el techo implorándole a Dios. Estaba asustada, pensando que, tal vez, con sus manos había curado al pequeño. Pero, luego de respirar profundo, varias veces, se dijo que no, «no puede ser cierto, si yo no sé ni volar... como ando medio loca. ¿Será que Fernanda tiene la razón?... No, pero y el tratamiento que le puso su médico»... se dijo, y tratando de alejar sus preocupaciones, fue hasta la puerta y llamó al próximo paciente.

Una anciana delgada y medio coja entró al consultorio de Roxana, y se sentó con mucha dificultad, hasta el extremo que de sus ojos brotaron lágrimas de dolor.

—Con cuidado —le dijo Roxana, ayudándola a acomodarse en la silla.

Mientras la paciente le contaba sus penas, Roxana, sin inmutarse, logró radiografiarla con su vista, comprobando que la anciana padecía una osteoporosis en un grado avanzado. Contemplando aún el esqueleto de la mujer, Roxana se sintió tentada de ponerle las manos encima, pero dos veces retiró sus dedos del intento, al ver cómo le temblaban los nudillos estrepitosamente. Por último, calentó sus manos frotándolas entre sí y, sobreponiéndose al miedo, palpó las piernas de la anciana con suavidad. Entonces vio que los tejidos óseos de la mujer se regeneraban, tras el recorrido de sus dedos por la piel de la enferma.

Sin comprender bien lo que estaba pasando, la anciana empezó a sentir alivio de inmediato. Su cara fue cambiando el gesto de sufrimiento que por años la marcó, por una sonrisa de bienestar. Concentrada, Roxana siguió pasando sus manos por debajo de las ropas de la mujer y vio como hasta el pelo de las trenzas recogidas de la enferma cobró un brillo de salud.

En cinco minutos la anciana se puso de pie con la agilidad que tuvo en su juventud. Estaba tan contenta y perpleja que se lanzó hacia Roxana abrazándola y besándola como muestra de gratitud. Ésta, más perpleja aún que la mujer, no sabía si llorar o reír. Por un lado, sentía satisfacción de ver a la anciana curada de una enfermedad hasta el momento dada por incurable; por otro, en su interior sabía que nuevos sufrimientos y complicaciones le vendrían a ella, tras el don de sanar a los demás.

Ante los gritos de alegría de la mujer curada, las gentes de la fila se asomaron por la ventana y la puerta de la oficina. Nadie podía creer que aquella anciana estuviese llena de vida y movimiento cuando, minutos atrás, casi ni podía andar. En la calle se fueron aglomerando, y ante lo que consideraron un milagro, empezaron a rezar para alabar a Dios. Roxana vio, entre las caras que pugnaban por mirar hacia adentro, el rostro del hombre que la noche anterior la quiso silenciar con su navaja antes de continuar su huida.

La anciana curada, para demostrar a los demás su bienestar, empezó a hacer cuclillas en la oficina y terminó bailando al ritmo de la zamba que llevaba en su corazón. Las gentes le corearon estribillos de moda, en tanto los ojos del asesino buscaban la vista desigual de Roxana. Al chocar las dos miradas, ambos se escalofriaron de pies a cabeza. Entonces, más atrás de la multitud, apareció un auto de policía con varios gendarmes, quienes avisados por alguien, acudieron al lugar para poner orden en la calle. El delincuente, sin virar el rostro, supo que tenía a los guardias detrás, y como un mago desapareció del sitio. Roxana, tragó en seco al ver a los gendarmes.

Poco a poco, las gentes calmaron su euforia ante la aparición de más carros de policía. Nadie quería problemas con los guardias y menos en aquel lugar donde estaban fuera de la protección de su favela.

Para alivio de todos, la señora Fernanda, dueña de la lavandería, salió al encuentro de los uniformados. Su presencia imponente de mujer altanera y segura de sí misma impactó de tal forma a los guardias que al verla venir tan decidida, se bajaron de sus autos, respetuosamente, para recibirla. Fernanda iba hacia ellos con el pensamiento fijo en salvar su negocio y a su inquilina, como fuera.

Cuando la policía y Fernanda estuvieron frente a frente, se saludaron con un leve movimiento de la cabeza. La conversación no duró mucho y como todos los pacientes de Roxana permanecieron alejados, nadie supo, verdaderamente de qué hablaron. Lo cierto es que al terminar el breve diálogo, los guardias se persignaron, dieron media vuelta, se montaron en sus carros y se marcharon del lugar. Algunos de los presentes afirmaron, más tarde, que la señora le deslizó unos billetes al oficial de mayor rango de aquella comitiva policial, pero nunca nadie lo pudo comprobar.

La dueña, luego de la partida de los agentes, instó a todos para que regresaran al siguiente día, pidiéndoles, por favor, que de ahora en adelante fueran prudentes durante las horas de espera a las puertas de la consulta para evitar problemas con las autoridades. Sin mucha demora y respondiendo al profundo respeto que sentían por ella, la multitud se fue dispersando entre comentarios y explicaciones que trataban de dar los testigos del milagro a los curiosos que llegaban corriendo desde lejos, donde ya se rumoreaba que «la curandera bizca de la lavandería» acababa de sanar a una mujer con las manos.

Cuando la calle estuvo libre, Fernanda se encerró a solas en la oficina con Roxana.

Las dos se miraron por un instante sin decir palabra, hasta que por fin la primera, en un arranque y sin parar, lanzó todo su nerviosismo a la cara de Roxana:

—Siempre te dije que tus manos son prodigiosas. Al fin te convenciste. Por algo se me quitó el dolor de los riñones. —Y juntando las manos de Roxana con las suyas las empezó a pasar por su cuerpo, desesperada por encontrar la tranquilidad que perdió el día en que apareció la inquilina.

Roxana se erizó de pies a cabeza, pero siguió callada, incapaz de mencionar aquel presentimiento que le anunciaba su muerte, y por compasión a Fernanda la besó con una enorme fuerza salida de sus tormentos y ajena a los labios que apretaba.

IV

Fernanda era una mujer bellísima, de esas que a diario cubren sus encantos con demasiada ropa, pero que al desnudarse, parecen diosas. Sin embargo, ni toda la calidez del cuerpo de la dueña de la lavandería desvió a Roxana de sus propósitos de volar hasta sus afectos, ni tan siquiera la conmovía esa forma tal especial de Fernanda al besarle la frente.

Al admitir, noche tras noche, a Fernanda en su cama, a Roxana se le planteaba un nuevo dilema. Sencillamente había perdido la libertad de realizar cada madrugada sus intentos por regresar al mundo que le era conocido, donde a buen seguro sus seres queridos estarían desesperados por saber de ella. En los seis meses que llevaba en Brasil, el dinero sólo le alcanzaba para llamar a La Habana esporádicamente, dando prioridad a su madre. De Miami no sabía nada, ni su mamá tampoco, porque de allá nadie la había llamado. Una preocupación desmedida por Andrea le llegaba de vez en vez, sobre todo cuando hacía el amor con Fernanda y la confundía en su mente con Andrea.

Una noche, luego de dejar exhausta y medio dormida a Fernanda, volvió a sus obsesiones, como siempre, pero en esta ocasión su imaginación vio, como un destello, a Andrea comiendo en un restaurante italiano con dos muchachas más. La aparición fue tan breve que Roxana se quedó con el sabor amargo de no poder seguir recreando la escena.

Frustrada, como era usual, Roxana dejó correr su mente en un intento por dormir, hasta que, cansada de dar vueltas en la cama, apeló al viejo truco de una fila de ovejas saltando sobre una cerca. Pero en medio de esa letanía, su imaginación sustituyó la aburrida escena de las ovejas por un abanico moviéndose, majestuoso, frente al pecho de una dama. Luego el abanico empezó a volar como una mariposa coja de un ala, hasta que apareció, solícito, otro abanico, y entre los dos equilibraron el vuelo, logrando una trayectoria limpia y perfecta. De pronto, Roxana se vio volando, como una libélula en medio de los abanicos y así regresó al restaurante italiano, sentándose a la mesa que compartía Andrea con sus amigas, sin ser invitada y sin que nadie notara su presencia. Al acomodarse en la silla, los abanicos se posaron tranquilos a sus pies y ella, triunfante por el éxito rotundo de su tercer intento de volar, comenzó a deleitarse frente a la Andrea que tenía ante sus ojos.

—No entiendo por qué no llamas a la mamá de Roxana a La Habana. Ella tiene que saber algo de su hija —dijo quien, para Roxana, debería ser Marta, la ex amante de Andrea, a la que conocía por fotos.

—Ya te dije que esa señora nunca aceptó mi amistad con Roxana —respondió Andrea, quien a los ojos de Roxana se veía fascinante, relajada, tanto que, aun sin que nadie la viera, se sintió impulsada a acariciarle el pelo. Pero Andrea, sobresaltada como siempre, se rascó la cabeza, inquieta por la sensación de cosquillas en su cráneo.

—Mi opinión es que si Roxana no la ha llamado... que se olvide de ella. Debe de irle bien en Brasil. Ustedes me han dicho que es médico... tiene conocidos allá...

Al detallar a Ligia, Roxana comprendió que debía de ser la amante de Marta, pero de repente sintió que uno de los abanicos se estremecía y al bajar su cabeza para atenderlo, miró debajo de la mesa y vio las rodillas de Andrea y Ligia, muy pegadas y moviéndose como si estuvieran acariciándose las dos.

Roxana subió su rostro impresionada, pero los abanicos, sin dejarla reaccionar, la tomaron por los brazos y se la llevaron volando hasta su cuarto de la lavandería, sólo entonces pudo escuchar a Fernanda.

—Es una pesadilla... un sueño... cálmate, amor. Vuelve, vuelve que estoy contigo —repetía Fernanda hasta que la vio reaccionar.

—No te preocupes, ya estoy bien —respondió Roxana para calmarla.

—Es que gritabas con tanta desesperación...

—Perdóname, Fernanda. Duerme, descansa...

Pero Fernanda empezó a besarla con deseo, se quitó las ropas, desnudó a Roxana y se sentó sobre su vientre, acercando el rostro al de Roxana, en tanto sus abundantes rizos largos le caían hacia delante, tapándole casi toda la cara. Entonces Roxana tuvo la impresión que Medusa en persona recorría su cuerpo en busca de satisfacción, y lejos de convertirse en piedra ante la mirada de semejante criatura, se repuso del asombro y por vengarse de Andrea, se entregó al sexo, esta vez, para olvidar.

V

El recurso de los abanicos inventados en la imaginación de Roxana cumplió, por fin, sus deseos de volar hasta Andrea. Sólo que nunca podía viajar con el cuerpo, al cual, como no tenía más remedio, dejaba tirado sobre la cama del cuarto, en la tintorería, mientras hacía sus traslaciones con la mente, hasta el lugar de sus deseos.

Fernanda se desesperaba al verla horas y horas mirando hacia el techo, ida del mundo real en que vivían. Pero, luego de preocuparse mucho por las ausencias mentales de Roxana, decidió no seguir preguntándole, para no incomodarse más frente al hermetismo de su protegida. En definitiva, ésta se prestaba a todos sus antojos sobre la cama y en su razonamiento era muy probable que el extraño comportamiento de Roxana se debiera a su naturaleza, en esencia, milagrosa y poco común.

A esas alturas se había extendido por toda la ciudad el rumor de los poderes curativos de Roxana pero, a pesar de su fama y de la enorme cantidad de gentes que acudían diariamente a su consultorio, hasta el momento, las autoridades habían decidido mantenerse al margen de los acontecimientos y vigilaban, desde una esquina, todos los movimientos de la tintorería por si alguien perturbaba el orden público de la barriada.

Roxana era muy cuidadosa de no utilizar sus facultades curativas a menos que fuera imperiosamente necesario. Mientras podía, apelaba a los remedios y recomendaciones normales para resolver los casos de rutina, tratando con su actitud infructuosamente de no llamar la atención más de lo debido. Sólo cuando se trataba de una caso incurable se llenaba de compasión ante el enfermo y se servía de sus manos para curarlo, aunque al mismo tiempo sabía con seguridad que el milagro terminaría por arruinarle la tranquilidad y la existencia.

A pesar de la calma que mantenían los pacientes frente a la puerta de la lavandería, y de los agradecimientos manifiestos del público, sin que Roxana o Fernanda se dieran cuenta, alguien, que intentaba no ser descubierto, sembraba sospechas malignas sobre la curandera.

El hombre que cuchillo en mano trató de agredir a Roxana aquella noche en que él mismo huía de la favela donde acababa de asesinar a un individuo, no conseguía estar en paz consigo mismo. Desde entonces, a Ronaldo le perseguía, tormentosamente, la imagen de una mujer babeando sangre como una vampira, aquella misma que en medio de la madrugada percibió, equivocadamente, de Roxana. Convencido de que la curandera representaba un peligro, pero temeroso de enfrentarse en solitario a ella, el asesino trató de alertar a las gentes para armarse de una cuadrilla de vecinos que le acompañara para darle muerte.

Ronaldo iba de bar en bar, contando su historia e intentando reclutar gentes dispuestas a tomar cartas en el asunto.

—Los vampiros son como el diablo y no se conforman con un muerto, quieren más y más... son muy peligrosos. Se toman la sangre hasta de los niños —explicaba Ronaldo, entre trago y trago de ron.

—Dicen que esa bruja bizca es milagrosa... Ella cura con las manos —contestó el dueño del bar.

—Porque no viste lo que yo vi... Seguro que por delante se hace la buena... cualquier día de estos, cuando tenga a todo el mundo metido en su cazuela, hace de las suyas —replicó Ronaldo, mientras se rascaba una de sus orejas grasientas y peludas—. Si dicen que a la pobre señora Fernanda la tiene embrujada y la mete hasta en su cama. Sí..., la gente que llega temprano a la tintorería la escucha chillando como si la estuvieran... Los vampiros son demonios... Y la señora Fernanda que hasta ahorita era una santa... —insistía Ronaldo.

Hasta que un día pasó frente a la cantina donde Ronaldo reclutaba su ejército contra vampiros una mujer que llevaba colgando del cuello, como si fueran un escapulario, dos fotos de Roxana. En una aparecía el rostro de la curandera y en otra, supuestamente, sus manos. Al pie de ambos retratos decía: «Santa Sanación».

Ronaldo se tropezó con la mujer al salir del bar, y cuando detalló el improvisado escapulario, se abalanzó contra ella y se lo arrebató para pisotearlo y blasfemar contra la Santa. La mujer, en su intento por detener a Ronaldo, cayó impactada por un empujón que él le dio, rompiéndose la cabeza contra una piedra de la calle. Los vecinos, clientes y transeúntes, vieron a la víctima convulsionar en medio de su propia sangre, pero nadie se atrevió a declarar en contra de Ronaldo cuando llegó la policía. Esta vez, sin intentar correr para escapar de la escena del crimen y consciente de que seguramente era su momento, empezó a culpar a la bruja bizca por la muerte de la mujer, acusando a Roxana de haberla hechizado.

Aquella mujer sin familia tuvo velorio a pesar de su pobreza: Ronaldo se encargó de pagar todos los detalles del funeral y consiguió que hasta el cura de una capilla cercana buscara una casa apropiada para tender el cadáver durante toda una noche. Por allí pasó mucha gente que atenta a los rumores del momento, terminó por asegurar que la bruja bizca había endemoniado a la difunta, y de tanto repetir tales suposiciones, hasta los testigos presenciales de la violencia de Ronaldo contra la anciana acabaron por creerse la versión que se tergiversaba, cada vez más, de boca en boca, convirtiendo a la otrora Santa Sanación, en Endemoniada Hechicera.

Sólo Ronaldo era consciente de su mentira y aun así, de cuando en cuando, apelaba, convencido, a la imagen inolvidable de la vampira babeando sangre para continuar con la farsa que, tal vez, acabaría con ella. Junto al féretro de la anciana muerta por fe, Ronaldo se provocaba el llanto, al poner su pensamiento en la muerte temprana de sus padres. Se lamentaba de haber quemado, junto con estos, la casa familiar, tan bonita y confortable, cuya destrucción lo había dejado abandonado en la calle para siempre. Los presentes en el funeral no tardaron en atemorizarse con las historias de Ronaldo y la curiosidad que los trajo al lugar fue, poco a poco, tornándose en pánico.

Ajenas a lo ocurrido, Fernanda y Roxana dieron por terminada la consulta, justo a las once de la noche. Cerraron la puerta y se abrazaron buscando compartir el cansancio físico de una larga jornada. Como de costumbre, sin hablar, Roxana fue a tomar una ducha caliente que la aliviara y Fernanda salió fuera del cuarto a buscar la comida que le tenía lista y guardada a la doctora, desde hacía varias horas.

Roxana no tardó en caer sobre su cama, renovada y limpia por el agua. Al apoyar su torso sobre la cabecera del lecho, sonrió, lista de nuevo, para viajar. Cuando Fernanda llegó con la cena, suspiró triste y resignada al ver que Roxana ya estaba ausente, mirando hacia el ventilador del techo totalmente hipnotizada. Entonces Fernanda apagó el ventilador, como cada noche, suponiendo que el movimiento de las aspas idiotizaba a Roxana, pero la médico, una vez más, ni se inmutó.

Mientras Fernanda echaba a la basura la cena que Roxana jamás se comería, se percató de la infelicidad que le producía aquella muchacha cuando en las noches dejaba escapar el alma. Y, en ese momento, Fernanda comprendió que amaba a un cuerpo vacío. Para comprobar lo que ya sabía, pero se negaba a creer, regresó corriendo al cuarto, se acostó bajo las sábanas al lado de Roxana y le acarició la piel, justo en las zonas más sensibles, sin lograr que la ausente reaccionara. En la medida en que buscaba una respuesta de su amante, Fernanda llegó a un grado de excitación tal que palpó su propio cuerpo con una mano, mientras con la otra seguía su recorrido insistente por la geografía de aquel cuerpo vivo, pero inerte, y sin saber cómo, pasó de la tristeza al placer y del placer al alivio, olvidándose de sus pesares, hasta caer en un profundo sueño que la hizo feliz y sorda a los peligros que se aproximaban a la tintorería.

VI

Esa noche, Roxana se despidió de la realidad más fácilmente que nunca. En cuanto cerró los ojos, vio los diminutos abanicos volando frente a sí, deseosos de transportarla cerca de Andrea. Y sin pensarlo dos veces, se lanzó al viaje llena de tanta alegría que el camino le pareció muy corto esta vez.

Andrea vivía en un estudio, desde que huyó del apartamento de Ligia y Marta. Allí, apenas podía dar cuatro pasos, pero se sentía segura y aliviada de todas las tensiones que había padecido desde su llegada. Los celos de Marta por la amistad tan estrecha de Ligia y ella terminaron por arruinar la convivencia. Todas las suposiciones de Marta eran ciertas, pero nadie se animó a hablarle claramente porque se trataba de una venganza no planeada, ni confesada entre ellas mismas, pero íntimamente prendida en quienes, en el fondo, gustaban de ver la incertidumbre de Marta, al no poder comprobar sus sospechas.

Cuando Andrea se fue a vivir al estudio, ella y Ligia tuvieron la posibilidad de verse a solas por largos espacios de tiempo. Sin embargo, enseguida ambas comprendieron que eran demasiado iguales para amarse. Llenas, entonces, de culpas y confusiones y a pesar de las necesidades emocionales de Andrea, prefirieron no verse más.

Andrea estaba profundamente sola, sin amigos ni parientes. Su trayecto cotidiano era simple, del restaurante de la esquina, donde trabajaba doce horas diarias, a la casa. Al llegar se bañaba, para luego tirarse en la cama sin compañía, en espera del día siguiente. Los domingos se daba el lujo de caminar hasta un parque que le quedaba relativamente cercano, y allí pasaba las mañanas, observando los diferentes tipos de perros que las gentes llevaban a pasear. A pesar de haber logrado sobrevivir, no podía separarse de una idea fija que la rondaba: el suicidio.

Las tardes de domingo, mientras regresaba a la casa del laundry más cercano con una mochila repleta de su ropa recién lavada y aún caliente, Andrea andaba, a veces, optimista porque sentía la necesidad de sentarse a escribir de nuevo. Pero al llegar a su cuarto y sacar la libreta de apuntes, luego de pasar algún tiempo frente al cuaderno, terminaba arrancándole alguna hoja en blanco para estrujarla y echarla a la basura como protesta por su incapacidad de trazar una sola letra, en medio de la ansiedad y la falta de concentración que padecía. Entonces, ante lo que consideraba un fracaso, regresaban las ideas suicidas.

Pocas veces se acordaba de Roxana, desde hacía tiempo no sabía de ella, ni le preocupaba su destino, viviendo, consumida y egoísta, en sus tristezas cotidianas. Sí, varias veces, cuando iba al mercado y pasaba frente a las bebidas, notaba que la vista se le torcía hacia las botellas de zambuca negra. Como un resorte le asaltaba la idea de que Roxana podría llegar de improviso algún día. Convencida de que ella no tendría fuerzas ni recursos suficientes para recibirla y acogerla en Miami, decidió no pasar más por la fila de las bebidas, tratando de evadir esos recuerdos poco frecuentes que la atormentaban demasiado. Hasta que un día decidió no mencionar a Roxana nunca más.

El grave problema de Andrea estaba en haberse defraudado de Marta cuando la tuvo frente a frente. Sencillamente no podía entender que después de tantos años de sufrir por ella en la distancia, al tenerla tan cerca, no fuera capaz de amarla, e incluso que llegara a mortificarla devolviéndole sus mismas deslealtades y mentiras. Ya había dado por sentado que el amor había terminado para ella y sólo le quedaba cariño por Ligia y la confusión de haberse sentido protegida por ella en los primeros tiempos. De Marta ya no quería ni saber, por el profundo dolor que le causaba su recuerdo.

Andrea aún no se animaba a levantarse aquel domingo por la mañana en que llegó Roxana a su lado. Sin embargo, a pesar de la forma invisible y casi imperceptible en que ésta le acercó su alma sin cuerpo, Andrea se percató de una presencia amable a su alrededor, animándose a abrir los ojos, bosquejar el diminuto cuarto con la vista y llenarse de la energía necesaria para sentarse de un tirón en la cama.

Sonriendo por la llegada inexplicable de algún halo bueno, comenzó a cambiarse de ropas para salir a su habitual paseo semanal. Realmente se sorprendió al sentirse tan acompañada, mientras, sin que ella lo supiera, Roxana la asaltaba en plena desnudez, como nunca antes.

Roxana se erizó de pies a cabeza al sentir que Andrea, por primera vez después de tantas visitas, percibía sus caricias, o más bien gozaba la influencia de una energía positiva que la hacía estremecer, sin reconocer que se trataba de ella. Pero en tal punto de excitación, Roxana necesitó, profundamente, hacerse presente para Andrea, darle una evidencia de su existencia, y en su desesperación, se impactó contra ella, pretendiendo tumbarla sobre la cama. Para su sorpresa, Roxana, en su furia, sólo logró traspasar el cuerpo de Andrea y caer justo sobre el colchón que estaba detrás de Andrea.

Aturdida, Roxana se incorporó y llena de emoción vio que Andrea observaba la cama, intuyendo que alguien, habiendo cruzado a través de ella, se encontraba allí, sobre el camastro que heredó de Josefina, quien por compasión le regaló aquel trasto para su estudio. Andrea, atraída por aquella fuerza extraña, estiró sus brazos y palpó la superficie del colchón, en busca de algo material, logrando penetrar el halo que contenía la esencia de Roxana, sin mayores consecuencias que la de sonreír, gracias al bienestar que le producía el contacto con aquella energía para ella imperceptible, pero que le proporcionaba la alegría de vivir que había perdido.

Roxana, tendida sobre la cama, disfrutó de las manos de Andrea y se sentía eufórica por el bienestar que creía despertar en su amante. Desde hacía días le preocupaba muchísimo aquella predisposición de Andrea ante la vida, que sin duda la podía llevar al mundo de los muertos, dimensión a dónde ella temía llegar, aunque el motivo fuese nuevamente ir en busca de su amor.

Pero hoy la suerte estaba de parte de ellas, como si se tratara de una nueva época de Felicidad. La vista se le desvió a Roxana sobre aquel abanico de varillas que Andrea tenía cerrado y colgando del techo por un cordel, justo al lado del lugar donde debía de estar la cabecera de la cama, en caso de haberla tenido. Estaba allí para, desde ese sitio estratégico, disponer rápidamente de él, cuando el aire acondicionado del estudio se descomponía, como sucedía a menudo por las madrugadas.

«¿Cómo será, por dentro?», se dijo Roxana, ajena a la historia de aquel abanico que Andrea le había traído a Marta de regalo, a su llegada a los Estados Unidos y que luego Marta, llena de ira, le había devuelto, en medio de una sarta de insultos. Éste era un abanico peculiar porque en su dibujo traía un paisaje campestre cubano, donde se destacaba una extensa vega de tabaco, parecida a la finca de los padres de Marta, allá, en Pinar del Río. Cuando Marta lo vio aquella noche en que llegó al apartamento, luego de lograr salir del basurero, rompió a llorar con tanto sentimiento que Ligia y Andrea se asustaron, hasta el punto de que la primera se percató que debía ayudarla a ducharse pues Marta no atinaba a contener sus lágrimas.

Luego del baño, más relajada, y sin el hedor de los desperdicios, Marta sonrió y abrazó tanto a Andrea como a Ligia, pero ninguna de las tres en ese momento pudo intuir que aquel encuentro terminaría después de varios meses en una franca guerra. Sólo Josefina torcía la boca cada vez que conversaba con Marta por teléfono y ésta le contaba lo bien que se sentían en convivencia, y aunque nunca quiso advertirles nada, por temor a enemistarse, estaba convencida de que todo terminaría en discordia.

Rauli, quien se divertía contándole los pormenores del trío a sus amigos, fue interesándose más y más en el caso, conforme el ambiente se tornó irritante y agresivo, consiguiendo así una historia de «alquilar balcones» para entretenerse todos los fines de semana. Sin embargo, cuando se enteró que Marta le había puesto en la puerta del apartamento todas las pertenencias a Andrea gritando insultos para humillarla, se echó a llorar y le dijo a Josefina que la trajese para la casa, hasta que pudiera mudarse sola.

Josefina y Rauli ayudaron a Andrea a encontrar el estudio, de manera que estuviese cerca del restaurante donde trabajaba, y le regalaron de todo para que ella gastase lo menos posible en aquel primer paso de independencia. Llenaron su cuarto de trastos viejos, muy parecidos, incluso, a los que tenía Andrea en su cuarto de La Habana Vieja, aunque sin la magia de haber sido, alguna vez, escenografía de alguna pieza teatral de moda.

Luego, por fidelidad a Marta, Josefina y Rauli le pidieron a Andrea que no los visitara, temiendo que las dos pudieran encontrase de nuevo frente a frente. Andrea les agradeció la ayuda, pero cuando se quedó sola rompió a sollozar por haber perdido a gente tan buena.

Roxana no sabía que en el abanico de Andrea estaba contenida toda la tragedia de su llegada y el total rompimiento con Marta. Volvió a poner su atención en el cosquilleo que le provocaban las caricias de Andrea y toda alborotada comenzó a reír, alto, muy alto, sin que Andrea pudiera alcanzar a oírla. Sintiéndose animada, Andrea terminó por vestirse para salir a su paseo dominical, pero cuando fue a atarse el cordón de uno de sus tenis, una fuerza traviesa le desbarató el nudo, una, dos, tres veces, a pesar de que lo apretaba bien fuerte en cada ocasión. Comenzó, entonces, a sospechar: Roxana y sus bromas le vinieron, al instante, a la mente. Y luego de pensar en que tal vez estaba medio loca, volvió a atarse, esta vez doble, el cordón. Más tranquila porque el último nudo no se zafó, se fue convenciendo de que todo eran ideas suyas; se rió de sí misma, pero mientras estaba abriendo la puerta, el nudo del mismo zapato se le volvió a desatar.

Andrea no tuvo más remedio que sentarse en la cama para no caerse y su rostro, generalmente rosado, se puso blanco del susto. Le sobrevino una taquicardia atroz que la paralizó por unos segundos, hasta que respiró profundo para llenarse de valor y murmurar.

—Roxana, ¿estás aquí? Una vez me caí por esta gracia tuya, como yo siempre ando en las nubes... ¿Estás aquí?

Asustada y llorando de la emoción, Roxana respondió:

—Soy yo. Estoy contigo.

Y le besó los labios y los ojos a Andrea, sin que ésta se enterara.

Tratando de calmarse, Andrea volvió a murmurar al aire:

—Roxana, si estás ahí, dame una prueba. Te dejo que me vuelvas a zafar el zapato. Te prometo que no me voy a asustar. —Y cerró los ojos en espera de la señal.

Roxana se concentró como lo había hecho minutos atrás e impulsó su energía para caer dentro del cordón, pero ya estaba desfallecida y a pesar de ser una fuerza con inteligencia no pudo desatar el nudo por esta vez, quedándose atrapada en aquel tejido con olor a yerbas del parque, mierda de perro y sudor de Andrea. «Si te acercas este cordón a la nariz, te mueres», murmuró Roxana, sin esperanzas de que Andrea la escuchase y dispuesta a esperar un nuevo impulso, al tiempo que deseaba poderosamente recuperar el cuerpo que había dejado abandonado en Brasil.

Pasados unos minutos, Andrea rompió en carcajadas y se revolcó en la cama sin contención, nerviosa aún, hasta que los músculos se le fueron aflojando por la extenuación emocional y se relajó, llegando casi al sueño, o más bien a la semiinconsciencia. Por un rato, la calma se apoderó de su estudio y pudo oír el canto de los pájaros que afuera anunciaban una mañana espléndida. Volvió a pensar en su paseo de domingo y le dio placer imaginar el parque con su césped muy verde, la sombra de los árboles y las gentes tirando de sus perros. También se acordó de aquella mujer corpulenta a la que siempre veía patinando con tal impulso que sus movimientos la llevaban de lado a lado en el estrecho paso asfaltado por el que andaban niños y mayores, haciendo que todos se apartaran hacia la hierba al verla venir. Andrea sonrió de nuevo, contenta de tener aquel parque tan cerca de su casa y sin meditarlo más se levantó, abrió la puerta y salió hacia el mundo, sin imaginarse que llevaba a Roxana contenida en uno de los cordones de sus zapatos.

Al principio, Roxana se sintió medio mareada con el vaivén del pie de Andrea, el cual tras cada paso la hacía estremecer completa pero, poco a poco, fue resignándose a ser un simple cordón de zapatos atado al pie de su amor y logró superar la molestia, en la medida en que concientizó su situación y comprendió que del cordón no debía irse, porque desde hacía mucho rato no aparecían los abanicos para llevarla de vuelta con Fernanda, como lo hacían siempre, y al estar en un espacio abierto, sin guía, corría el riesgo de perderse en la atmósfera. Encontró alivio cuando, ya en el parque, Andrea se sentó en un banco y cruzó la pierna, quedando el zapato donde estaba suspendido en el aire. Disfrutando de la posición, Roxana se deleitó con el fresco y la altura pero tuvo tiempo para preocuparse por su condición: si bien era bueno estar junto a Andrea, resultaba terrible no tener cuerpo por tan largo período. ¿Y si definitivamente no aparecían los abanicos guías?... ¿O si aparecían y no la traían más?... Roxana pensó en su cuerpo abandonado y se angustió.

Andrea se sintió alegre y acompañada en el parque. Un ánimo optimista, poco frecuente en ella, le matizó su paseo y la hizo hasta sonreír a los conocidos de cada domingo, ni siquiera se deprimió cuando vio aparecer en el cielo unas nubes negras que hicieron dispersar a los presentes a toda carrera. Andrea simplemente se levantó y regresó a su casa, recordando el filme *Cantando bajo la lluvia* y, para sorpresa suya, terminó tarareando el tema musical de aquel clásico del cine, a pesar de las gruesas gotas de agua que caían sobre su cuerpo.

Al llegar, Roxana se liberó del cordón de zapatos, tosió para expulsar toda el agua que tenía encima y transitó a sus anchas por el espacio para estirar todo su ser. Pero, sin saber por qué, Andrea, mientras se cambiaba de ropa, sintió el profundo impulso de llamar a la mamá de Roxana a La Habana y, en cuanto se terminó de secar, estando aún desnuda, comenzó a revolver todos sus papeles viejos, hasta encontrar aquella libretica amarilla en una de cuyas páginas, escrito con trazos diminutos, tenía el número telefónico de aquella señora.

Andrea llamó reiteradas veces, colgando continuamente, tras escuchar el tono de ocupado, hasta que por fin pudo oír el timbre distante y peculiar de La Habana. La madre de Roxana se sorprendió muchísimo por la llamada y en un inicio pensó que Andrea tenía malas noticias de su hija. Pero la conversación se relajó y de la confusión inicial brotó la simpatía de antaño, agrandada por todo el tiempo en que no se habían hablado desde la partida de Andrea. La emoción fue tanta que reconociendo sus soledades acordaron al final llamarse entre ellas cuando tuvieran noticias de Roxana.

Al colgar, Andrea sintió que había recuperado parte de su pasado real. Sin embargo, una profunda tristeza la invadió al conocer la historia de Roxana y no tener forma de comunicarse con ella para brindarle su apoyo. Se sintió miserable y compadeció a la mamá de Roxana, quien pasaba los días esperando que su hija la llamase, cuando pudiera, desde un teléfono público. «Siempre alguien anda peor que uno», se dijo, cubriéndose el torso, frío por la lluvia, con una camisa de algodón, en tanto la energía de Roxana, sin cuerpo para hacerse presente, lloraba en un rincón.

VII

A las cinco de la madrugada, en el velorio de la mujer asesinada por Ronaldo, alrededor de cincuenta hombres, ya bebidos, exaltados y liderados por él, ultimaban los planes para asaltar a la tintorería y cazar, de una vez, a la Bruja Bizca. Al frente de todos, Ronaldo intentaba explicar a la tropa sus ideas para no caer bajo los maleficios de la que él aseguraba, ser una vampira.

Ya se habían apertrechado de largas trenzas de ajo y una cruz para encajarla en el corazón de la bruja y, por si ella salía volando, llevaban unas redes que lanzarían desde el techo de la tintorería para atraparla en el aire. Además, consiguieron suficiente gasolina y una tea por si necesitaban quemarla viva. Todo estaba bien pensado.

Afuera, a la puerta de la tintorería, a esas horas, una veintena de personas aguardaba, en fila, por la consulta de Santa Sanación; y dentro, Fernanda, ya en pie, estaba realmente preocupada porque Roxana no volvía de su letargo nocturno, permanecía inmóvil con sus ojos desiguales y abiertos, ajena al mundo que la rodeaba.

De nada valieron las compresas frías, ni el amoníaco que Fernanda pasó por la nariz de Roxana, pretendiendo reanimarla. Parecía estar muerta, pero la respiración lenta y los latidos continuos de su corazón, agitados en ocasiones, demostraban que su cuerpo vivía. Sólo que Fernanda no sabía por dónde andaban el alma y la inteligencia de Roxana.

Segura de que Roxana estaba en coma, Fernanda se vistió para llamar a un médico, pero mientras se preparaba pensó que lo mejor sería hablar con los pacientes que esperaban fuera, para darle tiempo de recuperación a Roxana y, de paso, evitar que vieran entrar al médico en la tintorería porque el incidente podría terminar con la reputación de los milagros de Roxana.

«Lo mejor será decir que está rezando por la salud de todos», pensó Fernanda, mientras tapaba cuidadosamente a Roxana, para que no la pudiesen ver desde afuera; pero, antes de dar media vuelta para salir, Fernanda se detuvo a mirar los ojos desorbitados de Roxana y en un arranque de compasión le cerró los párpados, pretendiendo ocultar el estado lamentable de su amante. Luego se paró, con la impresión de que acababa de amortajar el cuerpo de Roxana y le brotó, despacio, un llanto silencioso y hondo.

Por varios minutos, Fernanda detalló a Roxana con tristeza y le tomó las manos para besarlas y frotarlas, delicadamente, contra sus mejillas, comprobando que estaban calientes y suaves, como siempre. Un suspiro de resignación le invadió todo el pecho pues no alcanzaba a comprender el sufrimiento de aquel ser que le robaba todo su amor. Pensó en Dios y le pidió un poco de felicidad.

Afuera, los pacientes, que aguardaban frente a la puerta de la tintorería divisaron una turba que se acercaba con aire enfurecido y desquiciado. Venían con palos, sogas, y una sarta de objetos punzantes en las manos. La muchedumbre se aproximaba con la prisa de quien va en busca de alguien para ajustar cuentas pendientes que no pueden esperar.

Ante los gritos del gentío desafiante, se vio a los niños esconderse tras las faldas de sus madres y en las gargantas de los perros callejeros estalló un aullido de tragedia. Algunos se persignaron para estar bien con el cielo antes de verse envueltos por la nube de polvo que levantaba aquel ejército endemoniado con su paso demoledor.

A Fernanda el corazón le dio un vuelco de espanto, pero lejos de paralizarse por el miedo que le transmitían los alaridos de la muchedumbre en la calle, guardó bajo la manta los brazos de Roxana y, decidida, salió a enfrentarse con el mundo. Cuando se asomó y vio venir por la esquina a aquel enjambre de hombres enardecidos, por instinto, cerró la puerta y se parapetó frente a ésta, pretendiendo proteger la entrada de la consulta con su presencia, para evitar que nadie pudiera llegar a Roxana. Aún no tenía claras las intenciones de la horda que se acercaba pero ni por un instante imaginó que venían a linchar a su amante.

Ante el empuje de los desaforados, algunos pacientes decidieron correr, pero ya era tarde y Fernanda, muda del espanto, clavó las uñas en la madera de la puerta, mientras veía rodar sobre la calle a las gentes que desde horas tempranas aguardaban por los milagros de Roxana.

De repente, sin saber por qué, Fernanda fue atrapada por una red de pescar y en medio de su desespero no pudo ver quién la alzó por la cintura y la lanzó sobre el fango del camino. Otras gentes cayeron sobre ella y la inmovilizaron por unos segundos. Con la nariz metida dentro del agua pestilente de la calle, Fernanda sintió que no podía respirar, hasta que las gentes se corrieron y ella pudo levantar la cabeza y volver a llenar sus pulmones de aire, con la angustia de un recién nacido.

Pero más le hubiera valido morir asfixiada en el charco del camino porque, al volver su rostro, vio como alzaban el cuerpo mojado de Roxana con una soga amarrada al cuello que iban recogiendo, por un extremo, desde el techo de la tintorería. Cuando la tuvieron ya ahorcada y suspendida a mitad del edificio, alguien, pegándole una tea ardiente amarrada a una vara, inflamó la gasolina que le habían rociado encima. El cuerpo se balanceó hasta que el fuego partió la soga y el cadáver cayó incendiado sobre la acera.

Fernanda perdió el sentido al ver el cuerpo de Roxana convertido en antorcha y aunque ni un pestañeo se vio en el rostro de la víctima, los testigos presentes lloraron y padecieron el martirio de Roxana junto con el de ellos mismos. Unos no podían creer que sus hijos estuvieran muertos sobre las aceras, otros trataban de revivir a sus padres o amigos, pero cuando el olor a carne quemada les invadió los sentidos, alzaron la vista hacia los despojos de la Santa y le rezaron a Dios.

El sonido agudo y persistente de las sirenas policiales invadieron el lugar. Los asaltantes, puestos sobre aviso, se apresuraron a huir hacia la favela cercana para escapar de la justicia oficial. Ronaldo y otros compinches, que aún merodeaban por la azotea, corrieron hacia la escalera pretendiendo escapar antes de que los gendarmes cerraran el cerco que acababan de formar. Todos andaban deprisa, saltando muros, empujando gentes, forzando sus piernas en la carrera que los resguardaría del peso de la ley, pero algunos de ellos tenían en sus corazones, como una bomba de tiempo, la misma duda: ¿fue la curandera, verdaderamente, una vampira?

Cuando, durante el asalto, los más arrojados entraron a la consulta para desafiar a las fuerzas del mal, se encontraron frente a una joven frágil e inconsciente que nada podía hacer en contra de ellos. Entonces Ronaldo, empeñado en mostrar la veracidad de sus teorías, le abrió la boca a la curandera, seguro de encontrar dos colmillos largos y afilados. Pero, ante la curiosidad de los presentes, aparecieron, adornando aquellos labios apetecibles, los diminutos dientes perlados de Roxana que, brillantes, sorprendieron la mirada de sus verdugos.

—No crean en su apariencia de ángel. Si se despierta acabará con nosotros —concluyó Ronaldo, y sin dar tiempo a sus compinches para pensar, levantó en peso el cuerpo de Roxana, le ató la soga al cuello y la sacó a la calle sin piedad.

El resto fue confusión, y pronto se vieron tirando de la soga que quebró las vértebras de Roxana, sin estar verdaderamente convencidos de que aquel ser representara un peligro para todos. Por eso, cuando Ronaldo y sus compinches ya estaban a un paso de la favela, dos de ellos, con tan sólo mirarse, decidieron girar sus torsos hacia Ronaldo y clavarle, en medio de la carrera, un cuchillo en el estómago, obligándolo a quedarse en terreno fácil para los policías.

A Ronaldo la calle se le volvió un agujero negro. Cuando despertó, se vio esposado dentro de un carro policial. Fue entonces cuando se llevó las manos al lado doliente de su abdomen, hasta comprobar que con la sangre se le iba la vida y en un instante, se volvió a desmayar sin remedio.

Pasada la batalla, el camino era un verdadero cementerio. Sobre la superficie del pavimento permanecía aún la sangre coagulada de las víctimas y un llanto prolongado parecía ahogar a los supervivientes. Fernanda, ya libre de la red que le impidió morir con Roxana, permanecía inmóvil al lado de los despojos de su amante, tapados discretamente con una sábana por la policía. Cuando llegó la ambulancia, se empeñó en acompañar los despojos de Roxana, junto con otros cadáveres que transportaban hacia la morgue del hospital más cercano. Eran las once de la mañana y la ciudad entera estaba excitada con los acontecimientos. Al bajar de la ambulancia, en la entrada de emergencia donde aguardaban los paramédicos y camilleros, un enjambre de periodistas abordaron a Fernanda, desesperados por las restricciones policiales que les impedían llegar al lugar de los hechos.

Agostino, desde una oficina del mismo hospital, vio la cara angustiada de Fernanda por un canal de televisión. Él acababa de terminar su turno de guardia en cirugía, pero al ver el rostro de esa mujer y enterarse de ciertos pormenores de la historia, decidió bajar a la morgue para comprobar lo que temía. Allí se encontró con Fernanda, parada al lado de aquel cadáver achicharrado e irreconocible, dando explicaciones al médico forense y a la policía. No obstante, tras pedir permiso a los guardias y mostrando su identificación de médico, logró llegar al sitio de la conversación, con el pretexto de darle un sedante a la señora y reconocerle las magulladuras, aunque, en verdad, la mujer no presentaba ni una herida.

Ya al lado de Fernanda, extendiéndole un vaso de agua y una píldora a la doliente, Agostino se atrevió a preguntar, señalando el cadáver.

—¿Usted dijo que se llamaba Roxana? Yo conocí a una cubana médico que vino invitada a un Congreso aquí, hace alrededor de seis meses...

—¿Delgada, trigueña?... ¿Sí? Creo que es ella misma.

—Pero yo pensé que estaba de vuelta en su país...

Y contenta de poder esclarecer el origen de Roxana, Fernanda comenzó a conversar con Agostino, quien se mostró muy conmovido con la muerte de su colega, desconociendo Fernanda y los presentes que Agostino había desamparado un día a Roxana.

Fernanda preparó a toda prisa un entierro discreto para su amante. A nadie le dijo el sitio exacto de la tumba, por temor a que sus fanáticos o sus enemigos pretendieran desenterrar los despojos con algún propósito malsano. Luego, dejó pasar unos días para llenarse de valor y llamar a la familia de Roxana, a la que tenía localizada gracias al número telefónico que le dio Agostino.

La tarde en que estuvo lista Fernanda, sosteniendo el teléfono en la mano, volvió a mojar sus ropas de luto, con más lágrimas. Por un instante, se arrepintió de querer comunicarse con una familia desconocida, de la que Roxana nunca le dijo ni una palabra, pero convencida de que hablar con ellos sería revivir la memoria de su amante y, atendiendo a su necesidad de descubrir, en el fondo, el verdadero mundo de la persona con que convivió los últimos meses de aquel año, decidió llamar, aunque fuera para la engorrosa misión de dar una mala noticia.

Fernanda comenzó apretando los números despacio, como acariciando el auricular, mientras intentaba organizar lo que iba a decir y de qué forma, para tratar de no provocar otra tragedia y ganarse la repulsa de aquellas personas a las que no quería perder antes de conocerlas. Finalmente, oyó el timbre, y con la respiración agitada por la emoción, escuchó que una mujer le contestaba con voz, evidentemente, distorsionada por la distancia y las malas comunicaciones. Por primera vez en su vida, tartamuda, Fernanda dio los buenos días.

VIII

Cuando Andrea se acostó aquel domingo por la noche, se sintió tan acompañada, que le dio gracias a Dios y esta vez no se detuvo, como antes, a encontrarle explicación a su nuevo estado de ánimo. Sencillamente estaba convencida, sin dar muchos rodeos, de que era hora de tener paz interior y se dispuso, de buena gana, a disfrutarla plenamente.

La energía de Roxana, por su parte, trataba de descansar, de cuando en cuando, ocupando la materia de cualquier objeto. Aunque sentía la necesidad de su cuerpo humano, y a pesar de que sufrió varios inconvenientes que la hicieron protestar en voz alta, sobre todo cuando se cansó de estornudar dentro de la estructura de los espejuelos oscuros de Andrea, por la capa de polvo que los cubría, o cuando tosió por la humedad de la llave del lavabo del baño, Roxana se sentía en la gloria.

Su nuevo estado le trajo temores diferentes que desplazaron a los anteriores: ya no le preocupaba su cuerpo abandonado en la tintorería de Fernanda; ahora, confiada en que podía sobrevivir sin pertenecer a materia alguna, Roxana se debatía entre su deseo de penetrar el abanico de Andrea y el temor de que éste la llevase de vuelta a Brasil, como solían hacer los abanicos de su imaginación que, para su satisfacción, no habían aparecido durante todo el día. Pero como, francamente, no quería regresar, Roxana decidió no mirar más al abanico.

Sin embargo, de repente, al comenzar la madrugada de aquel lunes, Roxana se agitó de un tirón y salió disparada por todo el cuarto, presintiendo que alguna nueva desgracia se le avecinaba. Ante aquel desborde de agonía, Andrea, influida por la energía de Roxana que se movía a su alrededor, despertó sobresaltada y empapada en sudor. Andrea pensó que su intranquilidad se debía a alguna pesadilla, pero luego, consciente de que estaba en el plano de la realidad, se llenó de pánico.

Desesperada, Andrea fue hacia la gaveta de los inciensos y encendió varios, pensando que el ambiente se calmaría con aquel humo aromático. Pero no, Roxana siguió recorriendo el cuarto sin contención, estrellándose contra las paredes, subiendo y bajando como un flecha por la habitación y Andrea, asustada, se arrodilló para rezarle a Dios.

En medio de aquel tormento, Roxana, convencida de que la batalla de sus contradicciones internas, a falta de piel y huesos, podía hacerla dispersarse de un momento a otro, vio venir, como ángeles salvadores, a los dos abanicos de su imaginación y, resignada, se dejó llevar por ellos.

En un segundo Roxana estaba en Brasil, con una soga atada al cuello, asfixiándose y viendo una masacre espantosa alrededor de Fernanda, que pugnaba, en medio de la calle, por incorporarse del fango, a pesar de la red que la cubría. A Roxana todo se le puso negro en un santiamén, pero como un rayo, regresó al estudio de Miami, donde los pequeños abanicos imaginarios la lanzaron, con fuerza, al interior del abanico de Andrea y sorprendida, sintió un aliento de vida que la hizo gritar, mientras volvía a respirar.

Andrea, quien permanecía arrodillada en el suelo rezando, casi se desmayó cuando vio al abanico que tenía colgado desde el techo, abrirse y cerrarse, como un ser viviente que acaba de recibir un soplo de energía. Temerosa, se acercó al abanico y lo analizó, sin imaginarse que, dentro de él, Roxana, con la memoria de las sensaciones del cuerpo humano aún frescas, se sentía de cabeza, colgada por los pies. Con dudas, tocó el abanico y le pareció que éste se extendió y replegó ligeramente, como estremeciéndose bajo sus dedos. Entonces corrió en busca de un cuchillo y con él cortó la cuerda del que pendía el abanico para tomarlo en la palma de sus manos y observarlo con detenimiento pero, sin saber por qué, el abanico le recordó a Andrea la forma de ovillo en que Roxana solía dormir y con la sensación de tenerla de manera diminuta en sus manos, colocó el abanico sobre la mesa de noche.

La calma regresó al estudio, poco a poco, y Andrea, en su afán de vigilar al abanico, terminó quedándose dormida, a pesar de su intento por mantener los párpados abiertos, en espera de otra señal de vida del objeto.

Roxana, extenuada por la experiencia sufrida, fue relajándose dentro de la estructura del abanico, hasta que se sintió segura entre su tejido y empezó a disfrutar la suavidad de las fibras vegetales que la cubrían, comparándola con la piel que tuvo su cuerpo humano. Incluso al descubrir la dureza de la pintura de óleo que adornaba la tela del abanico, recordó algún que otro callo que alguna vez le salió en los pies.

A la mañana siguiente, las vidas de Andrea y Roxana habían cambiado totalmente: una había perdido el cuerpo y la otra se sorprendió sonriéndole a su abanico y dándole los buenos días. Es más, cuando Andrea se tomó su vaso de jugo con tostadas, colocó al abanico sobre la mesa frente a ella como si fuese un comensal.

Antes de salir para su trabajo, lo puso sobre su cama para que descansara sobre una superficie blanda. Ya a solas, Roxana, más recuperada, intentó salir del abanico para correr libremente por el cuarto, pero esta vez una fuerza ajena le impidió abandonar el objeto. Molesta, empezó a forcejear contra su encierro, sin darse cuenta que tras cada esfuerzo, perdía paulatinamente sus energías. Cuando dejó de ver, comprendió que se le escapaban los sentidos humanos; se quedó quieta, tratando de retener con su pausa la percepción que aún le quedaba del mundo. A esas horas, su cuerpo achicharrado y congelado en la morgue de aquel hospital de Brasil ya era incapaz de brindarle energía humana. A las pocas horas, sin remedio, Roxana dejó de oír y de sentir la calidez de las sábanas de Andrea sobre las que reposaba su nueva materia de abanico.

Los siguientes días estuvieron marcados para Andrea por un profundo deseo de llegar al estudio lo más temprano posible, con ansias de contarle a su abanico todos los pormenores de la jornada. Para que éste la escuchara bien, Andrea lo abría de par en par, antes de comenzar sus confesiones, como si el abanico fuese una gran oreja de entendimiento infinito.

Un domingo después, Andrea oyó sonar su teléfono y se precipitó sobre él, ávida de noticias sobre sus conocidos y deseosa de sentir calor humano. Pero esta vez no le dieron tiempo a Andrea ni de dar los buenos días. Del otro lado de la línea, la mamá de Roxana, desesperada por el dolor, le anunció de golpe la muerte de su hija.

Por no saber qué responder al llanto interminable de la mujer, Andrea colgó sin despedirse, y aún sin poder creer la historia, por inercia, fue deslizándose, con la espalda pegada a la pared, hasta poner sus nalgas en el piso y quedar en posición fetal. «¿Cómo es posible?», se dijo, mirando el abanico que permanecía cerrado, sobre el microwave, como dispuesto a prepararle a ella el desayuno de su días de descanso.

Títulos de la Colección Salir del Armario

En otras palabras
Claire McNab

Pintando la luna
Karin Kallmaker

Con pedigree
Lola Van Guardia

Diario de Suzanne
Hélène de Monferrand

Nunca digas jamás
Linda Hill

Los ojos del ciervo
Carlota Echalecu Tranchant

La fuerza del deseo
Marianne K. Martin

Almas gemelas
Rita Mae Brown

Un momento de imprudencia
Peggy J. Herring

Plumas de doble filo
Lola Van Guardia

Vértices de amor
Jennifer Fulton

La mujer del pelo rojo
Sigrid Brunel

Si el destino quiere
Karin Kallmaker

Historia de una seducción
Ann O'Leary

Un extraño vino
Katherine V. Forrest

El secreto velado
Penny Mickelbury

Un amor bajo sospecha
Marosa Gómez Pereira

Un pacto más allá del deseo
Kristen Garrett

La mansión de las tríbadas
Lola Van Guardia

Ámame
Illy Nes

Hotel Kempinsky
Marta Balletbó-Coll / Ana Simón Cerezo

Dime que estoy soñando
Jane Jaworsky

La abadía
Arancha Apellániz

Otras voces
VV. AA.

Palabras para ti
Lyn Denison

Taxi a París
Ruth Gogoll

Secretos del pasado
Linda Hill

Ese abrazo que pretendía darte
Karin Kallmaker

Un buen salteado
Emma Donoghue

Date un respiro
Jenny McKean-Tinker

Esperándote
Peggy J. Herring

Allí te encuentro
Frankie J. Jones

Placeres ocultos
Julia Wood

Una cuestión de confianza
Radclyffe

El vuelo de los sentidos
Saxon Bennett

No me llames cariño
Isabel Franc / Lola Van Guardia

La sombra de la duda
J.M. Redmann

Punto y aparte
Susana Guzner

Amor en equilibrio
Marianne K. Martin

Cartas de amor en la arena
Sharon Stone

Dame unos años
Lais Arcos

Algo salvaje
Karin Kallmaker

Media hora más contigo
Jane Rule

La vida secreta de Marta
Franca Nera

Honor
Radclyffe

Encuentro en la isla
Jennifer Fulton

Rápida Infernal y otros cuentos
Jennifer Quiles

Alma mater
Rita Mae Brown

La otra mujer
Ann O'Leary

Sexutopías
Sofía Ruiz

La vida en sus ojos
Deborah Barry

Una aupair bollo en USA
Asia Lillo

Vínculos de honor
Radclyffe

La danza de los abanicos
Carmen Duarte